Sciences sociales et politiques

enseignement de spécialité

● **Franck Rimbert**
Professeur de sciences économiques et sociales
au lycée Guist'hau (Nantes)

NOTEZ BIEN !

L'achat de cet ouvrage vous permet de bénéficier d'un **accès gratuit** aux ressources d' **annabac.com** : podcasts, fiches de cours, quiz, annales corrigées…

Pour profiter de cette offre, rendez-vous sur **annabac.com** dans la rubrique **« Vous avez acheté un ouvrage Hatier ? »**

Crédits iconographiques

Intérieur – p. 8 : doc. Archives Hatier • p. 11 : ph © The Library of Congress • p. 16 : ph © Josse/Leemage • p. 23 : ph © La Documentation française • p. 26 : ph © The White House Administration, Washington • p. 36 : doc. Wikimedia Commons • p. 38 : ph © Anne Muxel • p. 65 : ph © Archives Hatier / BNF, Paris • p. 71 : doc. Wikimedia Commons

Dépliant – IV et V : ph © Josse/Leemage

Conception maquette : **Favre & Lhaïk** • *Édition :* **Carole San-Galli**
Schémas : **Lasergraphie** • *Mise en pages :* **STDI**

© Hatier, Paris, 2018 – ISBN 978-2-401-04442-5

SOMMAIRE

CHECK LIST

Les mots suivis d'un * dans les fiches correspondent aux notions clés du programme, définies dans le dépliant en fin d'ouvrage.

● DÉPLIANT

— Frises chronologiques
— Définitions essentielles
— Les institutions européennes
— Biographies d'auteurs

Si vous avez suivi la spécialité sciences sociales et politiques en terminale ES, vous passerez une épreuve écrite (de coefficient 2) sur le programme de cet enseignement.

1 Descriptif de l'épreuve

A Durée de l'épreuve

▶ L'épreuve dure **1 heure** et se déroule en même temps que l'épreuve d'enseignement spécifique. Vous avez donc **5 heures au total** pour traiter les deux épreuves.

▶ Il est conseillé de **commencer par traiter le sujet de spécialité**, mais en ne dépassant pas l'heure supplémentaire prévue pour cette épreuve.

B Contenu de l'épreuve

Vous avez le **choix entre deux sujets** portant sur des thèmes différents du programme.

▶ Chaque sujet comporte une **question générale** accompagnée **d'un ou deux documents**.

▶ Si le sujet ne comprend qu'un seul document, celui-ci est **obligatoirement un texte**. S'il comporte deux documents, ils sont de **natures différentes** (un texte et un document statistique).

2 Conseils de méthode

A Analyser le sujet

Afin de répondre à la question posée par le sujet, il est indispensable de commencer par l'analyser en définissant d'abord les **mots clés du sujet**, qui font référence aux notions du programme, puis en étudiant sa formulation.

▶ Certaines formulations appellent une **discussion**. Par exemple, le sujet « Peut-on parler de crise de la démocratie ? » (→ FICHE 15) implique de discuter à la fois l'éventualité de cette crise et les limites de cette affirmation. C'est également le cas pour les sujets commençant par « Dans quelle mesure ».

▶ D'autres sujets invitent à **expliquer** un phénomène avéré. Par exemple : « Comment expliquer la montée de l'abstention ? » (→ FICHE 30).

Ⓑ Mobiliser ses connaissances

Après avoir analysé le sujet, vous devez rassembler vos **connaissances personnelles** s'y rapportant.

Ceci doit vous permettre de lister les **idées clés** qu'il vous faudra développer dans la réponse au sujet.

Ⓒ Utiliser les documents

Enfin, l'étude des documents doit permettre d'illustrer les réponses apportées au sujet.

▶ Pour les **textes**, il faut éviter la paraphrase et reformuler en utilisant vos connaissances personnelles et les idées du texte. Dans la réponse, vous pouvez éventuellement citer le texte mais ces citations, avec des guillemets, doivent être rares (une ou deux maximum).

▶ Pour les **documents statistiques**, il est obligatoire d'utiliser les données les plus pertinentes pour illustrer le raisonnement et il est conseillé d'effectuer certains calculs ; vous montrerez ainsi votre maîtrise de l'outil statistique. Ces calculs peuvent être très simples et même approximatifs, car l'utilisation de la calculatrice est interdite.

Ⓓ Rédiger la réponse

La réponse au sujet doit être ainsi organisée :
– une **introduction** qui rappelle le sujet, définit les termes clés, et annonce les principales idées qui vont être développées ;
– un **développement** structuré en paragraphes, chacun développant un élément de réponse à la question posée ;

> **CONSEIL** Lorsque vous faites référence à un document, indiquez-le entre parenthèses.

– une **conclusion** qui résume les idées du développement en deux ou trois lignes.

(→ DÉPLIANT, I À III)

? QUIZ p. 13

La première démocratie est née
à Athènes au Ve siècle avant notre ère.
Comment cette idée a-t-elle évolué jusqu'à nos jours ?

1 La démocratie des Anciens

A La naissance de la démocratie à Athènes au Ve siècle av. J.-C.

▶ La démocratie repose sur le principe du **gouvernement du peuple par le peuple**, celui-ci étant constitué d'individus libres et égaux. La première démocratie apparaît au Ve siècle avant notre ère à Athènes.

▶ La démocratie athénienne est une **démocratie directe** exercée par l'assemblée des citoyens, dont sont exclus les femmes, les esclaves et les étrangers (les « métèques »). Elle se distingue de la monarchie (gouvernement d'un seul) ou de l'oligarchie (gouvernement de quelques-uns).

B La critique de la démocratie athénienne

▶ La démocratie athénienne a été vivement critiquée par les philosophes de l'époque. Dans *La République*, Platon considère ainsi que la démocratie est un **régime politique démagogique**, fondé sur la liberté et l'égalité, qui marque la victoire des pauvres sur les riches.

▶ La démocratie est attachée aux **micro-États** que furent les cités grecques antiques. C'est pourquoi Jean-Jacques Rousseau considère que ce régime politique ne peut être institué que dans de petits États.

▶ Dans les démocraties antiques, le peuple a une définition très restrictive. Les citoyens sont obligatoirement des hommes et ils doivent être nés dans la Cité. Ils ne constituent donc qu'une **minorité de la population** de l'État.

2 La démocratie moderne

A La naissance de la démocratie libérale au XVIIIe siècle

▶ La **Déclaration d'indépendance des États-Unis** en 1776 marque l'avènement de la démocratie moderne. La République américaine (1783) institue un régime représentatif, dans lequel le pouvoir est exercé par des représentants élus par le peuple (→ FICHE 6). Ce régime est fondé sur deux principes : la **souveraineté** du peuple (c'est le peuple qui décide en dernier ressort) et la **séparation des pouvoirs**. Ce régime démocratique met l'accent sur les libertés individuelles et la défense de la propriété privée, dans le cadre d'un État fédéral.

▶ Lors de la révolution de 1789 en France, la **Déclaration des droits de l'homme et du citoyen** (DDHC) énonce un ensemble de droits.

CITATION « Les hommes naissent et demeurent libres et égaux en droits. » DDHC, 1789

Inspirée par la Déclaration d'indépendance américaine, elle affirme que les hommes sont égaux, et définit des droits dont tout homme doit disposer : liberté, propriété et résistance à l'oppression.

Ⓑ L'émergence de démocraties « illibérales »

▶ Les **démocraties occidentales** (dites « libérales ») sont fondées sur deux principes essentiels : la **liberté** et l'**égalité**. Tous les individus sont libres dans le cadre de la loi, et égaux devant la loi. Ces démocraties représentatives sont des États de droit, dans lesquels tout pouvoir politique s'exerce dans un cadre juridique auquel il doit se soumettre.

▶ Premier ministre de la Hongrie depuis 2010, Viktor Orban revendique l'exercice d'une démocratie « illibérale ». Il a été rejoint dans cette voie par le gouvernement élu en Pologne en 2015. Ces deux pays sont **pourtant membres de l'UE**, qui a fait du respect des principes de la démocratie libérale l'une des conditions essentielles d'adhésion.

▶ Dès 1997, le journaliste et politologue américain Fareed Zakaria définissait les démocraties illibérales comme des régimes politiques conservant les procédures électorales classiques, tout en **restreignant les libertés civiques**. Elles se caractérisent ainsi par la mise sous tutelle du pouvoir législatif, du pouvoir judiciaire et des médias.

CONCLURE

Les démocraties modernes, tout comme la démocratie des Anciens, reposent sur le principe de souveraineté populaire. Mais elles traduisent une vision plus large de la citoyenneté et instituent des démocraties représentatives.

? QUIZ p. 13

*Depuis le XVIIIᵉ siècle, on distingue
les trois pouvoirs : législatif, exécutif et judiciaire.
En quoi la séparation des pouvoirs est-elle un principe
de la démocratie ?*

1 État de droit et séparation des pouvoirs

La séparation des pouvoirs est une condition de l'existence de l'État de droit.

A L'État de droit

▶ L'État, dans une démocratie, est un État de droit, ce qui signifie que **le pouvoir ne peut s'exercer de manière arbitraire**. L'État de droit est un système institutionnel dans lequel la puissance publique est soumise au droit.

▶ L'existence d'une **hiérarchie des lois** est un principe fondamental de l'État de droit. Au sommet de la hiérarchie, on trouve la Constitution, puis les engagements internationaux, et enfin les lois ordinaires (comme la loi de finance) et les règlements.

B La séparation des pouvoirs

▶ C'est Montesquieu, au XVIIIᵉ siècle, qui développe la distinction entre les **trois pouvoirs** : législatif, exécutif et judiciaire.

Type de pouvoir	Fonction	Institution
législatif	vote les lois	Parlement
exécutif	exécute les lois adoptées par les assemblées	gouvernement
judiciaire	fait respecter la loi	tribunaux

▶ Dans une démocratie, les trois pouvoirs **ne doivent pas appartenir à une même autorité** car, ainsi que l'expliquait Montesquieu, toute personne cumulant les trois pouvoirs aurait un pouvoir ne connaissant aucune limite, comme c'était le cas pour le roi dans la monarchie absolue en France (→ DÉPLIANT, IV).

② Les pratiques de la séparation des pouvoirs

Ⓐ Des pratiques variées

▶ Le principe de la séparation des pouvoirs a été mis en application avec les **premières constitutions démocratiques** à la fin du XVIIIᵉ siècle (Constitution américaine de 1787 et Constitution française de 1791). Mais, suivant les régimes mis en place par ces constitutions (→ FICHE 4), les pratiques diffèrent.

▶ La séparation des pouvoirs peut être **rigide**, c'est-à-dire que les pouvoirs exécutif et législatif sont totalement indépendants l'un de l'autre. C'est le cas aux États-Unis : le président détient l'intégralité du pouvoir exécutif, et le Congrès l'intégralité du pouvoir législatif. Si les deux pouvoirs sont en désaccord, ils ne peuvent pas mutuellement mettre fin au mandat de l'autre.

▶ En revanche, la séparation des pouvoirs est dite **souple** lorsque les pouvoirs exécutif et législatif sont destinés à collaborer : c'est le cas au Royaume-Uni.

Ⓑ Des pratiques qui remettent en cause le principe de la séparation des pouvoirs

▶ Depuis le XVIIIᵉ siècle, **les fonctions exécutive et législative ont évolué.** Par pouvoir exécutif, on n'entend plus seulement le pouvoir d'exécuter les lois, mais également celui de fixer les objectifs que se donne le pouvoir politique. Quant à la fonction législative, elle englobe une fonction de contrôle du pouvoir exécutif.

▶ Par ailleurs, **la pratique de la séparation des pouvoirs peut entraîner des dérives.** Ainsi, le jeu des élections peut amener un même parti à contrôler les pouvoirs exécutif et législatif. Il peut arriver également que l'exécutif remette en cause l'indépendance du pouvoir judiciaire, d'où une certaine confusion des pouvoirs. Ce principe doit donc être garanti par une cour constitutionnelle qui peut s'opposer à toute loi le remettant en cause (en France, le Conseil constitutionnel).

C O N C L U R E

Principe essentiel de la démocratie, la séparation des pouvoirs peut être pratiquée de manière rigide ou souple. L'existence d'une cour constitutionnelle permet de se prémunir contre d'éventuelles infractions à ce principe.

? QUIZ p. 13

Selon le degré d'indépendance des pouvoirs, on distingue plusieurs régimes démocratiques. Quelles sont les différences entre ces régimes ?

1 Les modèles fondamentaux

Les régimes politiques désignent la manière dont le pouvoir est organisé.

A Le régime parlementaire

▶ Dans un régime parlementaire*, la séparation des pouvoirs est **faible**. On dit qu'il y a **interdépendance** des pouvoirs législatif et exécutif.

CITATION « Tous les méfaits de la démocratie sont remédiables par davantage de démocratie. »
A. E. Smith, 1923

▶ Le **pouvoir exécutif** est exercé **par un gouvernement**, au nom d'un chef d'État, monarque ou président de la République n'ayant aucune responsabilité politique. C'est le cas au Royaume-Uni, où le gouvernement est responsable devant le Parlement, celui-ci pouvant être dissous par l'exécutif. Le chef de l'État (la Reine) symbolise l'unité de la nation.

▶ Le principal inconvénient du régime parlementaire est l'**instabilité gouvernementale**. En effet, les gouvernements sont le plus souvent le résultat d'un compromis entre les différents partis politiques représentés au Parlement.

B Le régime présidentiel

▶ Dans un régime présidentiel*, la séparation des pouvoirs entre l'exécutif et le législatif est **forte**.

▶ Le chef de l'exécutif ne peut dissoudre le Parlement et ce dernier ne peut renverser le gouvernement. Cependant, la séparation des pouvoirs n'est pas rigide. Ainsi, aux États-Unis, la Constitution donne au président un droit de veto sur les lois votées par le Congrès. En contrepartie, la nomination des principaux responsables des ministères doit être approuvée par le Sénat.

▶ La **légitimité du président** provient de son élection au **suffrage universel**, indirect aux États-Unis. Le gouvernement est constitué de collaborateurs du président relevant directement de son autorité.

▶ La majorité au Parlement peut être d'une couleur politique différente de celle du président : c'est la **cohabitation**.

2 *Les régimes mixtes*

A Les caractéristiques des régimes mixtes

Le régime mixte combine des éléments des régimes présidentiel et parlementaire.

▶ Le régime mixte **emprunte au régime présidentiel** l'élection du président au suffrage universel, et le fait que ce dernier n'est pas responsable devant le Parlement. Il nomme le Premier ministre et peut dissoudre l'Assemblée.

▶ Dans un régime mixte, **comme dans un régime parlementaire**, le gouvernement est responsable devant le Parlement, mais il dispose d'un certain pouvoir législatif. En cas de cohabitation, le Premier ministre dispose de la réalité du pouvoir exécutif.

B L'exemple de la Vᵉ République en France

▶ La Constitution de la Vᵉ République est un exemple de régime mixte, ou régime semi-présidentiel*. Le président de la République est élu au suffrage universel pour 5 ans et nomme le Premier ministre et les membres du gouvernement (sur proposition du Premier ministre). Il peut également dissoudre l'Assemblée nationale. Sa responsabilité est indirecte car l'Assemblée peut renverser le gouvernement.

▶ À l'origine, la Constitution de la Vᵉ République prévoyait un mandat de 7 ans pour le président, et de 5 ans pour les députés. En 2000, pour éviter les cohabitations et la paralysie du pouvoir exécutif, une **réforme constitutionnelle** a réduit la durée du mandat du président à 5 ans. Les élections législatives se déroulent quelques semaines après l'élection présidentielle.

CONCLURE

On distingue deux principaux types de régimes démocratiques : les régimes parlementaire et présidentiel. La France connaît un régime semi-présidentiel.

Cochez la ou les bonnes réponses.

1 *La démocratie athénienne*

La démocratie à Athènes au Ve siècle av. J.-C est :

	Vrai	Faux
1. exercée par des représentants élus	☐	☐
2. exercée par l'ensemble des citoyens	☐	☐

2 *La Déclaration des droits de l'homme et du citoyen*

La Déclaration des droits de l'homme et du citoyen en France :
- ☐ a. marque l'avènement des démocraties modernes
- ☐ b. inspire la Déclaration d'indépendance des États-Unis
- ☐ c. définit les droits du citoyen lors de la révolution de 1789
- ☐ d. affirme que les hommes sont libres et égaux en droits

3 *L'État de droit*

Dans un État de droit, il existe :
- ☐ a. trois pouvoirs strictement indépendants (exécutif, législatif et judiciaire)
- ☐ b. une hiérarchie des lois
- ☐ c. une hiérarchie des pouvoirs

4 *Le Conseil constitutionnel*

En France, le Conseil constitutionnel :
- ☐ a. veille au respect de la séparation des pouvoirs
- ☐ b. contrôle le pouvoir judiciaire
- ☐ c. vote les lois

5 *Régime présidentiel et régime parlementaire*

	Vrai	Faux
1. Dans un régime parlementaire, les pouvoirs exécutif et législatif sont interdépendants.	☐	☐
2. Dans un régime présidentiel, le gouvernement est responsable devant le Parlement.	☐	☐
3. La Ve République est un régime présidentiel.	☐	☐

1 *La démocratie athénienne*

Fiche 2

1. Faux. La démocratie athénienne n'est pas une démocratie représentative mais une démocratie directe : les citoyens prennent eux-mêmes des décisions politiques, sans passer par des représentants issus d'une élection.

2. Faux. Les femmes, les esclaves et les étrangers ne font pas partie de l'assemblée des citoyens.

2 *La Déclaration des droits de l'homme et du citoyen*

Fiche 2

Réponses c et d. La Déclaration des droits de l'homme et du citoyen en France a été adoptée après la Déclaration d'indépendance aux États-Unis (1776).

3 *L'État de droit*

Fiche 3

Réponse b. Un État de droit est soumis au pouvoir de la loi. Toutes les lois doivent respecter les principes de la Constitution, qui est la loi suprême. Celle-ci garantit la séparation des trois pouvoirs et le degré d'interdépendance entre ces pouvoirs.

4 *Le Conseil constitutionnel*

Fiche 3

Réponse a. Le Conseil constitutionnel fait appliquer les principes de la Constitution. La séparation des pouvoirs est un principe fondamental des démocraties modernes.

5 *Régime présidentiel et régime parlementaire*

Fiche 4

1. Vrai. Dans un régime parlementaire, le gouvernement est responsable devant le Parlement.

2. Faux. Dans un régime présidentiel, le président désigne les membres du gouvernement qui sont considérés comme des collaborateurs du président. Les pouvoirs exécutif et législatif sont totalement indépendants.

3. Faux. La Ve République est un régime mixte car si le gouvernement est responsable devant le Parlement, le véritable chef de l'exécutif est le président qui n'est pas responsable devant le Parlement : il est élu au suffrage universel et peut dissoudre l'Assemblée nationale.

? QUIZ p. 21

Dans les démocraties représentatives, le pouvoir est exercé par des représentants élus. Comment la représentation politique peut-elle incarner la volonté générale du peuple ?

1 Les principes de la représentation politique

A L'élaboration de ce principe au XVIIIᵉ siècle

▶ Le renouveau de l'**idéal démocratique** au XVIIIᵉ siècle pose le problème de l'expression de la volonté du peuple. Dans des États qui recouvrent de vastes territoires, avec une population nombreuse, il est difficile de mettre en place une démocratie directe.

▶ Les révolutionnaires américains et français (→ FICHE 2) ont théorisé le principe de représentation politique. En élisant leurs représentants, les citoyens peuvent librement s'occuper de leurs affaires privées. Avec le développement de ces démocraties modernes, la représentation politique se substitue au principe de la démocratie directe, on parle alors de « **gouvernement représentatif** ».

B La mise en œuvre du principe

▶ L'**élection** constitue la caractéristique majeure de la démocratie représentative. Elle doit être libre et garantir le pluralisme politique*, c'est-à-dire permettre la cohabitation de plusieurs partis politiques au pouvoir. Les représentants élus ont un **mandat** qualifié de « **représentatif** » : ils ne reçoivent aucune instruction de la part de leurs électeurs et, dès lors, agissent en fonction de leurs convictions (même s'ils doivent tenir compte, en partie, des aspirations de leurs électeurs pour être réélus).

▶ Le pluralisme lors des élections implique un **poids croissant des partis politiques** dans la vie démocratique. Dès lors que le suffrage universel se généralise (en France, à partir de 1848 avec le suffrage universel masculin), les candidats issus des partis politiques remplacent les notables qui occupaient les mandats politiques. Les représentants politiques deviennent des professionnels de la politique.

② *Les limites de la représentation politique*

Ⓐ La représentativité des représentants politiques

▶ La principale limite du principe de représentativité réside dans la **coupure entre le peuple et ses représentants**, ceux-ci pouvant constituer une nouvelle « aristocratie » sociale.

▶ Cette idée est confortée par l'**origine sociale des élus**. Ceux-ci appartiennent en effet à des catégories socioprofessionnelles privilégiées (cadres et professions intellectuelles supérieures), alors que les catégories populaires (ouvriers et employés) sont sous-représentées.

Ⓑ La crise de la représentation politique

La montée de l'**abstention électorale*** et du **vote extrémiste** en France, depuis les années 1980, semble indiquer une crise de la démocratie représentative.

▶ Celle-ci s'explique d'une part par la **montée de l'individualisme**. Cette évolution, anticipée par Tocqueville au XIXe siècle dans *De la démocratie en Amérique*, empêche l'expression d'une volonté générale, chacun n'exprimant plus que des revendications individuelles (→ DÉPLIANT, **V**).

CITATION « L'individualisme est un sentiment réfléchi qui dispose chaque citoyen à s'isoler de la masse de ses semblables de telle sorte que, après s'être créé une petite société à son usage, il abandonne la grande société à elle-même. » A. de Tocqueville, 1840

▶ D'autre part, l'**affaiblissement de l'État-nation** concurrencé par les institutions internationales, notamment européennes, conforte l'idée de l'impuissance des représentants à résoudre les problèmes que connaît la population.

▶ Enfin, les sociétés contemporaines sont marquées par un **affaiblissement de la confiance**, et plus particulièrement envers la classe politique jugée corrompue et inefficace.

C O N C L U R E

Dans les démocraties représentatives, les élus n'ont pas de mandat impératif. Le risque est de voir émerger une aristocratie politique coupée du peuple et, en conséquence, une crise de la représentation politique qui traduit une crise de la souveraineté populaire.

❓ QUIZ p. 21

Le vote est l'acte essentiel
de la participation à la vie politique.
Comment ce vote est-il organisé ?

1 *Les scrutins majoritaires*

A Définition et objectif des scrutins majoritaires

▶ Les scrutins majoritaires constituent le mode le plus ancien de désignation des élus : sont élus ceux qui ont obtenu le plus de voix. Ce mode de scrutin* permet de faire émerger une **majorité stable**, mais il est **peu égalitaire** car il ne donne aucun élu aux tendances minoritaires.

▶ En France, le président de la République et les députés sont élus au scrutin majoritaire. En effet, lorsque le général de Gaulle définit les grandes orientations de la Constitution de la Ve République en 1958, il veut mettre fin à la faiblesse des gouvernements de la IVe République. Le scrutin majoritaire lui apparaît comme le meilleur moyen de donner naissance à un **gouvernement stable et fort**.

B Les différents types de scrutin majoritaire

Le scrutin majoritaire peut être de type **uninominal** ou **plurinominal**.

▶ Dans le premier cas, **une seule personne est élue** : le scrutin est uninominal.
Si le scrutin ne comprend qu'un tour, comme au Royaume-Uni, c'est le candidat ayant obtenu **le plus grand nombre de voix** qui est élu, même s'il ne dispose que d'une majorité relative (moins de 50 % des voix). Ce mode de scrutin tend à renforcer la position du parti arrivé en tête des élections. Dans le scrutin majoritaire à deux tours, comme c'est le cas en France pour les élections législatives, un second tour est nécessaire si, au premier tour, aucun candidat n'a obtenu de majorité absolue (plus de 50 % des voix). Au second tour est élu le candidat ayant obtenu le plus de voix.

▶ Dans le scrutin majoritaire plurinominal, **plusieurs candidats sont élus** en même temps sur un territoire donné. Le plus souvent, les électeurs votent pour une liste de candidats et l'élection comprend deux tours. Au second tour, on peut avoir recours au panachage des listes. Il est alors possible de rayer les noms d'une liste et d'ajouter des noms d'une autre liste : c'est le cas des élections municipales en France pour les communes de moins de 1 000 habitants.

② Les scrutins proportionnels

Ⓐ Définition et objectif des scrutins proportionnels

▶ Un scrutin proportionnel est un scrutin qui donne aux partis politiques présentant des candidats un **nombre d'élus proportionnel au total des suffrages obtenus** sur un territoire donné. Généralement, c'est un scrutin de liste. Ce type de scrutin est utilisé en France pour l'élection des sénateurs dans les départements où il y a trois sénateurs ou plus.

▶ L'objectif du scrutin proportionnel est de permettre aux partis très minoritaires d'être représentés. Cependant, il risque de conduire à un **émiettement des assemblées** en de nombreuses fractions, rendant difficile la constitution du pouvoir exécutif et la stabilité gouvernementale.

Ⓑ Le fonctionnement du scrutin proportionnel

▶ Pour calculer le nombre de sièges obtenus par liste, on procède en deux temps.

1. On mesure tout d'abord le **quotient électoral** en faisant le rapport entre le total des suffrages exprimés et le nombre de sièges à pourvoir.

2. Les sièges qui restent à affecter sont ensuite pourvus selon la **méthode du plus fort reste ou de la plus forte moyenne** (→ FICHE 14).

▶ Les **systèmes mixtes** combinent les règles des scrutins majoritaire et proportionnel. Ils sont rarement utilisés et souvent critiqués pour leur complexité. En France, les élections municipales des communes de plus de 1 000 habitants ont ainsi un mode de scrutin mixte introduisant un mécanisme propre aux scrutins proportionnels dans un scrutin à dominante majoritaire.

CONCLURE

Il existe deux principaux modes de scrutin : le scrutin majoritaire et le scrutin proportionnel. Chaque mode de scrutin correspond à une conception de la vie politique, qu'il influence fortement.

QUIZ p. 21

*Quelles transformations
les démocraties connaissent-elles ?*

1 L'évolution de la démocratie représentative

A La parité

▶ En France, ce n'est qu'en 1944 que les femmes ont obtenu le **droit de vote**, devenant ainsi des citoyennes à part entière. Cependant, les femmes restent largement sous-représentées parmi les élus.

▶ En 1999, la Constitution est modifiée et prévoit l'**égal accès des femmes et des hommes aux mandats électoraux et aux fonctions électives** (parité*). Le nombre de candidatures doit être égal pour chaque sexe dans les scrutins de liste, et une alternance des candidats de chaque sexe doit être respectée. De plus, les partis qui ne présentent pas 50 % de candidats de chaque sexe doivent s'acquitter d'une amende. En 2007, le dispositif est étendu aux élections cantonales, ainsi qu'aux élections des adjoints au maire.

▶ Malgré la loi sur la parité, l'égalité entre les hommes et les femmes est **loin d'être atteinte** en France. Cependant, les élections législatives de juin 2017 ont marqué une progression non négligeable de la part des femmes élues députées : 38,7 % contre 26,9 % en 2012.

B Le cumul des mandats

▶ Considéré comme une cause de la désaffection des électeurs pour leurs élus, le cumul des mandats (nationaux et locaux) fait depuis longtemps l'**objet de débats**. On lui reproche de renforcer le caractère élitiste de la représentation politique et d'empêcher les élus de se consacrer à chacun de leur mandat à plein-temps.

▶ Le texte initial de la Constitution de la Ve République interdisait déjà certains cumuls : ministre et parlementaire, ou encore deux mandats de parlementaire (sénateur et député). Depuis mars 2017, un parlementaire (député, sénateur, député européen) ne peut exercer un mandat de maire, adjoint au maire, président ou vice-président d'intercommunalité, de conseil régional, de conseil départemental ou de toute autre collectivité territoriale.

② *Le développement d'autres formes de démocratie*

Depuis les années 1990, d'autres formes de démocratie se développent.

Ⓐ La démocratie participative

▶ La démocratie participative consiste à **associer les citoyens** à la discussion des affaires publiques et à l'élaboration des décisions. Mais les citoyens ne disposent pas de véritable pouvoir, celui-ci restant le monopole des élus.

▶ Les modalités de la démocratie participative sont **multiples**. Elles concernent l'information et la consultation des citoyens, notamment dans le cadre de projets d'urbanisme. Elles visent également à renforcer la vie associative et les échanges sociaux, avec les comités de quartier par exemple.

Ⓑ La démocratie délibérative

▶ Dans la démocratie délibérative*, les décisions politiques sont le résultat d'une délibération qui engage les citoyens concernés par ces décisions. Ainsi, chaque décision doit être le fruit d'un **débat contradictoire** qui respecte ces trois règles :
– le débat doit donner lieu à une argumentation rationnelle ;
– la discussion doit être ouverte au plus grand nombre ;
– les délibérations doivent être publiques.

▶ Une **loi en 2002 dite de « démocratie de proximité »** a élargi l'exercice de la démocratie participative, mais également délibérative, en rendant obligatoire la création de conseils de quartiers dans les communes de plus de 80 000 habitants. Cette loi renforce également le rôle de la **Commission nationale du débat public** créée en 1995, dont le but est de veiller au respect de la participation du public au processus d'élaboration des projets d'aménagement ou d'équipement d'intérêt national.

CONCLURE

Les démocraties contemporaines tendent à vouloir donner plus de place aux femmes dans la vie politique et à limiter le cumul des mandats. D'autres formes de démocratie se développent, comme la démocratie participative et la démocratie délibérative.

Cochez la ou les bonnes réponses.

❶ *Les principes de la représentation politique*

Dans une démocratie représentative :

☐ a. le peuple prend directement les décisions politiques

☐ b. les représentants sont toujours élus au suffrage universel direct

☐ c. les représentants élus prennent les décisions politiques en fonction de leurs convictions

❷ *Les limites de la représentation politique*

	Vrai	Faux
1. L'appartenance sociale des élus est conforme à celle des électeurs.	☐	☐
2. Les électeurs ont de moins en moins confiance en leurs élus.	☐	☐
3. L'individualisme favorise l'abstention.	☐	☐

❸ *Le scrutin majoritaire*

Le scrutin majoritaire :

☐ a. permet des majorités stables

☐ b. favorise les candidats des petits partis

☐ c. est le type de scrutin utilisé pour les élections municipales de toutes les communes

❹ *La démocratie représentative en France*

	Vrai	Faux
1. Il y a autant d'hommes que de femmes élus.	☐	☐
2. Un ministre peut être en même temps député.	☐	☐

❺ *La démocratie participative*

La démocratie participative :

☐ a. consiste à prendre des décisions après des débats contradictoires organisés entre citoyens

☐ b. renforce la participation des citoyens à la prise de décisions politiques

☐ c. permet aux citoyens de prendre des décisions à la place des élus

1 Les principes de la représentation politique
Fiches 6 et 7

Réponse c. Les représentants élus ont un mandat représentatif et non impératif : ils ne reçoivent aucune instruction de la part de leurs électeurs. Par ailleurs, il existe différents types de scrutin.

2 Les limites de la représentation politique
Fiche 6

1. **Faux.** Les élus appartiennent à des catégories sociales favorisées. Il y a donc une sous-représentation des catégories populaires (ouvriers, employés).

2. **Vrai.** Les électeurs ont tendance à considérer que les élus sont éloignés des préoccupations du peuple car ils forment une aristocratie politique. De plus, divers scandales entament la confiance des électeurs en leurs élus.

3. **Vrai.** Les électeurs ont tendance à privilégier les préoccupations individuelles à l'intérêt général. Dès le XIXe siècle, Tocqueville, dans *De la démocratie en Amérique*, avait prévu cette évolution.

3 Le scrutin majoritaire
Fiche 7

Réponse a. Seuls les candidats ayant obtenu le plus de voix sont élus, ce qui avantage les grands partis et permet des majorités stables. Le scrutin majoritaire plurinominal à deux tours ne concerne en France que les communes de moins de 1 000 habitants ; le mode de scrutin pour les communes de 1 000 habitants et plus est le scrutin proportionnel de liste à deux tours.

4 La démocratie représentative en France
Fiche 8

1. **Faux.** Les femmes sont minoritaires malgré la loi sur la parité.

2. **Faux.** Les ministres ne peuvent cumuler leur fonction de ministre avec un mandat de parlementaire depuis l'adoption de la Constitution de la Ve République en 1958.

5 La démocratie participative
Fiche 8

Réponse b. Le principe de démocratie participative consiste à faire participer à la prise des décisions politiques en associant les citoyens à la discussion des affaires publiques, mais les représentants élus conservent le monopole de ces décisions.

? QUIZ p. 29

Il n'y a pas de démocratie représentative sans partis politiques. Quel rôle ces organisations jouent-elles dans la vie politique ?

1 L'émergence des partis politiques

A Qu'est-ce qu'un parti politique ?

▶ Un parti politique présente **trois caractéristiques** :
– il forme une organisation durable, implantée au niveau local et au niveau national ;
– il a pour objectif de prendre et d'exercer le pouvoir afin de mettre en œuvre le programme politique qu'il a défini ;
– il cherche à acquérir le soutien populaire.

▶ On distingue les **partis de notables** des **partis de masse**.
Les premiers sont des partis qui regroupent surtout des élus locaux et comptent peu de militants ; ils sont faiblement structurés.
Les partis de masse, au contraire, sont fortement structurés et reposent sur une base militante importante ; les élus issus de tels partis sont très dépendants de leur organisation.

B La naissance des partis politiques

▶ En France, le premier parti créé est le **Parti radical**. Il se forme en 1901, au moment où le corps électoral s'élargit et où de nouveaux candidats apparaissent face aux notables qui monopolisaient jusqu'alors les fonctions électives.

▶ Les partis politiques naissent dans un contexte de **réduction des conflits**, puisque la compétition électorale se substitue à l'action violente révolu-

CITATION
« Je suis au-dessus des partis. »
Ch. de Gaulle, 1965

tionnaire. Cependant, en France, au début du XXᵉ siècle, ils reflètent le plus souvent les clivages de la société. Certains partis sont ainsi créés pour représenter les **revendications de groupes sociaux**, comme la SFIO (Parti socialiste) qui, dès sa création en 1905, défend la classe ouvrière.

2 *Les fonctions des partis politiques*

A Le rôle des partis dans la compétition électorale

▶ Afin d'accéder au pouvoir, les partis politiques définissent un programme qui regroupe l'ensemble des mesures qu'ils souhaitent mettre en application dès leur accession au pouvoir. Autour de ce programme, ils cherchent à mobiliser les citoyens. Le contenu du **programme politique** dépend d'une doctrine ou de valeurs de référence défendues au sein du parti. Il peut être modifié en fonction de l'évolution de l'opinion ou des transformations de la société.

▶ Les partis politiques jouent un rôle essentiel dans la **sélection des candidats** se présentant aux élections, locales ou nationales, et donc dans la formation des élites politiques. Le processus d'investiture des candidats par le parti constitue la première étape de la compétition électorale.

B La fonction d'intégration sociale

▶ Organisations au sein desquelles les militants établissent entre eux des relations sociales, les partis politiques deviennent un **milieu de sociabilité** fondé sur des valeurs partagées. Ils peuvent également proposer des **services aux citoyens** (aide aux démarches administratives) ou encore représenter une voie d'ascension sociale pour leurs militants, notamment à travers les mandats électifs.

▶ Les partis de gauche, et plus particulièrement le Parti communiste français (PCF), ont contribué à l'**intégration** et à l'**encadrement des catégories populaires**. Ainsi, entre les deux guerres mondiales, le PCF a animé la vie sociale et culturelle des communes habitées par une majorité d'ouvriers.

▶ L'exercice de cette fonction d'intégration a pour conséquence indirecte de **légitimer** et de **stabiliser le système politique**. Ainsi, en France, le Parti communiste a légitimé le système politique mis en place après la Seconde Guerre mondiale, tout en proclamant sa volonté de le réformer.

CONCLURE

De création récente, les partis politiques ont pour objectif d'accéder au pouvoir afin de mettre en œuvre leur programme. Ils sélectionnent les élites politiques et ont une fonction d'intégration sociale.

Campagnes électorales et mobilisation électorale

QUIZ p. 29

Les campagnes électorales sont devenues un moment essentiel de la vie politique. Dans quelle mesure favorisent-elles la mobilisation des électeurs ?

1 Les campagnes électorales : quelques généralités

Les campagnes électorales peuvent être définies comme l'ensemble des moyens mis en œuvre par les candidats aux élections, et par les partis qui les soutiennent, pour inciter les électeurs à voter pour eux.

A Les premières campagnes électorales

▶ Les campagnes électorales apparaissent **en France à la fin du XIXe siècle**, à un moment où la compétition électorale devient un élément majeur de la vie politique.

▶ L'**élargissement de l'électorat**, avec la mise en place en 1848 du suffrage universel masculin, oblige les candidats à s'organiser dans des partis afin de mobiliser ce nouvel électorat lors des campagnes électorales (→ FICHE 10).

B Le rôle des campagnes électorales

▶ Dans une démocratie représentative, la **communication** est un aspect essentiel de la vie politique, et les campagnes électorales constituent un moment particulièrement fort de cette communication.

▶ Les campagnes électorales doivent adopter des stratégies qui doivent permettre aux candidats d'être les plus efficaces possible. Ce **marketing politique** connaît certaines limites, notamment le risque de manipulation de l'opinion.

▶ Il ne faut pas surestimer les effets des campagnes électorales sur la mobilisation électorale*. Elles ont comme effet principal de mobiliser des électeurs déjà acquis aux idées des candidats. Elles les confortent dans leur choix électoral en leur faisant prendre conscience de l'importance de ce choix.

2 Le déroulement des campagnes électorales

A La campagne officielle

Il faut distinguer les campagnes électorales au sens large et les campagnes officielles.

▶ Un candidat peut mener campagne longtemps avant les élections, mais il existe une campagne officielle, **courte et définie par la loi**. Ainsi, en France, la campagne officielle de l'élection présidentielle s'ouvre le deuxième lundi précédant le premier tour.

▶ La loi sur les campagnes officielles définit les **conditions d'accès aux médias**, notamment à la télévision, afin d'assurer l'égalité de traitement entre les différents candidats même en dehors des campagnes officielles. Le Conseil supérieur de l'audiovisuel (CSA) est garant de cette égalité.

▶ Depuis la fin des années 1980, diverses **lois sur le financement** des campagnes ont été votées. Elles définissent notamment la contribution de l'État au financement des campagnes électorales, et plafonnent le niveau des dépenses des partis. Leur objectif est d'assurer une plus grande **transparence financière** de la vie politique et d'éviter la corruption.

🅑 Campagnes électorales et médias

▶ Avec l'élargissement du suffrage universel, les médias sont devenus des lieux essentiels du **débat politique**. Le rôle croissant de la télévision dans les campagnes électorales a fait craindre, en France, une emprise trop forte de ce média. Mais certains politologues soulignent que les médias influencent principalement les personnes déjà politisées ; leur rôle ne doit donc pas être surestimé.

▶ L'**évolution des supports médiatiques** peut influencer les campagnes électorales. Par exemple, lors de ses campagnes pour les présidentielles de 2008 et de 2012, Barack Obama a su utiliser les ressources procurées par Internet pour mobiliser ses sympathisants. Ainsi, notamment grâce aux réseaux sociaux, les relations entre les électeurs et les candidats deviennent plus informelles.

citation « Quatre ans de plus. » Message émis par B. Obama le soir de sa réélection en 2012 et retwitté près de 472 000 fois dans les trois heures qui suivirent.

CONCLURE

Les campagnes électorales constituent un moment essentiel de la communication politique. Le cadre juridique et les moyens techniques de ces campagnes évoluent.

Les contre-pouvoirs

QUIZ p. 29

La démocratie représentative
impose la volonté de la majorité et rend nécessaires
les contre-pouvoirs. Comment ceux-ci influencent-ils
le pouvoir politique ?

1 Démocratie et contre-pouvoir

La notion de contre-pouvoir s'inscrit dans le principe même de la démocratie représentative avec la **séparation des pouvoirs**. Tout pouvoir (exécutif, législatif, judiciaire) est limité par l'action des autres pouvoirs, selon ce principe énoncé par Montesquieu : « le pouvoir arrête le pouvoir » (→ FICHE 3).

A Le rôle des contre-pouvoirs

▶ Les démocraties représentatives sont confrontées à **deux risques majeurs**.

• Le premier provient du **fait majoritaire** : les représentants élus imposent la volonté de la majorité au détriment de la minorité.

• Le second risque est lié au **monopole du pouvoir** détenu par les élus, ceux-ci pouvant être soupçonnés de ne pas défendre l'intérêt général mais plutôt des intérêts particuliers.

▶ Des contre-pouvoirs sont donc nécessaires. Ils se présentent sous la forme de **syndicats**, d'**associations**, de **groupes d'intérêt** et constituent ainsi une forme d'organisation de la société civile (celle qui n'a pas accès aux fonctions politiques).

B Les caractéristiques des contre-pouvoirs

▶ Les contre-pouvoirs ont pour objectif d'**influencer le pouvoir politique** sans toutefois participer à la décision politique. Ils font naître des débats (groupes d'intérêt), mènent des campagnes d'opinion (associations), mobilisent des manifestants (syndicats).

▶ Ainsi, les contre-pouvoirs amènent les pouvoirs politiques à intervenir, à négocier et parfois à modifier leurs projets. En cela, ils jouent un rôle déterminant dans le **jeu démocratique**.

2 Le rôle des médias

A Les médias, un quatrième pouvoir ?

Les médias regroupent l'ensemble des **moyens de communication de masse**, comme la presse écrite, la radio et la télévision.

▶ La **liberté d'information** et la **liberté d'opinion** sont deux principes fondamentaux des démocraties modernes, rendant nécessaire l'existence de médias divers et libres.

▶ On qualifie les médias de quatrième pouvoir car ils jouent un **rôle essentiel** dans l'orientation de la politique d'un pays. Si on peut douter des effets directs des médias sur la formation de l'opinion publique, ils construisent le débat politique en sélectionnant les faits qui constitueront le cœur de l'actualité politique.

▶ De plus, la **place prise par la télévision** dans les médias a modifié les conditions du débat politique en accordant un poids de plus en plus important à l'image et à la personnalité des hommes et des femmes politiques.

B Les limites des médias comme contre-pouvoir

▶ Si les médias ont pu représenter un contre-pouvoir autrefois, ce n'est plus vraiment le cas aujourd'hui. Certains sondages mesurant le degré de confiance des Français envers les médias montrent qu'ils sont de plus en plus nombreux à les considérer non pas comme un contre-pouvoir mais comme un **instrument du pouvoir**.

▶ On peut expliquer cette défiance grandissante envers les médias par l'homogénéité de l'**origine sociale des journalistes**, très éloignés des milieux populaires.

▶ Les médias, de plus en plus soumis aux contraintes économiques et à la pression de la concurrence, n'ont plus la même capacité à mener des investigations considérées comme trop coûteuses. Il en résulte une **information de plus en plus formatée**.

CONCLURE

Il est nécessaire d'avoir des contre-pouvoirs dans une démocratie représentative. Les médias peuvent jouer ce rôle, mais leur légitimité est de plus en plus contestée.

Cochez la ou les bonnes réponses.

❶ Les partis politiques

	Vrai	Faux
1. Un parti de notables a une forte fonction d'intégration sociale des militants.	☐	☐
2. Le principal objectif d'un parti politique est l'intégration sociale.	☐	☐

❷ Le rôle des campagnes électorales

Les campagnes électorales :
- ☐ a. jouent un rôle primordial dans le choix des électeurs
- ☐ b. renforcent les choix des électeurs
- ☐ c. servent en principe à mobiliser les électeurs

❸ Le déroulement des campagnes électorales

	Vrai	Faux
1. Les campagnes électorales se limitent aux campagnes officielles.	☐	☐
2. L'État finance les campagnes électorales.	☐	☐
3. Les médias n'ont aucun effet sur le choix des électeurs lors des campagnes électorales.	☐	☐

❹ Le rôle des contre-pouvoirs

Les contre-pouvoirs :
- ☐ a. sont destinés à limiter le monopole du pouvoir exercé par les représentants élus
- ☐ b. participent à la décision politique
- ☐ c. renforcent le pouvoir des partis minoritaires

❺ Le rôle des médias

Les médias :
- ☐ a. n'ont aucune influence sur le débat politique
- ☐ b. sont considérés par une majorité des électeurs comme un contre-pouvoir
- ☐ c. sont une nécessité dans une démocratie représentative

Corrigés

1 *Les partis politiques*

Fiche 10

1. **Faux.** Les partis de notables rassemblent essentiellement des élus et peu de militants.

2. **Faux.** Dans une démocratie, le principal objectif d'un parti politique est de présenter un programme qui doit permettre à ses candidats d'être élus et d'accéder au pouvoir, même si les partis politiques favorisent l'intégration sociale.

2 *Le rôle des campagnes électorales*

Fiche 11

Réponses b et c. Les campagnes apparaissent au moment où la démocratie représentative est caractérisée par la compétition politique. Les campagnes électorales doivent donc servir à mobiliser les électeurs mais, dans la réalité, elles mobilisent surtout des électeurs déjà acquis aux idées des candidats.

3 *Le déroulement des campagnes électorales*

Fiche 11

1. **Faux.** Les campagnes officielles ne durent, selon la loi, que quelques semaines mais, le plus souvent, la campagne électorale commence avant : réunions, affiches etc.

2. **Vrai.** La loi prévoit une contribution de l'État au financement des campagnes électorales, mais celle-ci est limitée.

3. **Faux.** Les médias sont devenus un élément essentiel des campagnes électorales même s'ils tendent à renforcer le choix des électeurs les plus politisés.

4 *Le rôle des contre-pouvoirs*

Fiche 12

Réponses a et c. Les contre-pouvoirs visent à limiter le monopole des élus afin d'éviter que ceux-ci ne deviennent les représentants d'intérêts particuliers. Ils influencent sans toutefois participer à la décision politique. Enfin, ils font entendre les voix des partis minoritaires.

5 *Le rôle des médias*

Fiche 12

Réponse c. La démocratie représentative repose sur la liberté d'information et d'opinion. S'ils sont davantage considérés par l'opinion publique comme étant au service du pouvoir que comme étant un contre-pouvoir, l'influence des médias sur le débat politique reste importante.

Le scrutin proportionnel

Comment sont répartis les sièges dans un scrutin proportionnel ?

1 Exemple d'une élection selon le principe du scrutin de liste

Au cours d'une élection, 7 sièges sont à pourvoir. 3 listes sont en présence (A, B et C), chacune ayant au maximum 7 candidats. 100 000 suffrages ont été exprimés, voici les résultats :

Liste	Nombre de voix
A	76 000
B	19 000
C	5 000

Comment attribuer le nombre de sièges par liste ?

▶ On calcule le **quotient électoral** qui est le rapport entre le nombre de suffrages exprimés et le nombre de sièges, soit $100\,000 / 7 = 14\,285{,}7$.

Il est attribué à chaque liste autant de sièges que le rapport entre le nombre de suffrages de la liste et le quotient électoral, soit :

Liste A : $76\,000 / 14\,285{,}7 = 5{,}3$ soit 5 sièges
Liste B : $19\,000 / 14\,285{,}7 = 1{,}3$ soit 1 siège
Liste C : $5\,000 / 14\,285{,}7 = 0{,}3$ soit 0 siège

▶ D'où les résultats suivants :

Liste	Nombre de sièges
A	5
B	1
C	0

Avec le quotient électoral, **6 sièges sont pourvus.**

Il reste donc à pourvoir 1 siège qui peut l'être selon deux méthodes différentes.

2 *Méthode du plus fort reste*

On attribue le siège restant à la liste qui a **le nombre de voix inutilisées le plus important**, c'est-à-dire les voix qui n'ont pas servi à désigner les premiers élus. On a donc, pour le 7e siège :

Liste A : $76\,000 - (14\,285,7 \times 5) = 4\,571,5$

Liste B : $19\,000 - (14\,285,7 \times 1) = 4\,714,3$

Liste C : $5\,000 - 0 = 5\,000$

Le 7e siège est attribué à la liste C.

Liste	Voix en %	Nombre de sièges
A	76	5
B	19	1
C	5	1

Avec cette méthode du plus fort reste, on remarque que la liste B a près de 4 fois plus de voix (3,8 exactement) que la liste C, et a le même nombre de sièges que celle-ci (1 siège).

3 *Méthode de la plus forte moyenne*

Le siège restant à pourvoir est attribué à la liste pour laquelle la **division du nombre de suffrages recueillis par le nombre de mandats** qui lui ont déjà été attribués, + 1, donne le plus fort résultat. Pour le 7e mandat :

Liste A : $76\,000 / 6 = 12\,666,7$

Liste B : $19\,000 / 2 = 9\,500$

Liste C : $5\,000 / 1 = 5\,000$

C'est la liste A qui a plus forte moyenne et qui obtient le 7e siège.

Liste	Voix en %	Nombre de sièges
A	76	6
B	19	1
C	5	0

On remarque que la liste A a 6 fois plus de sièges que la liste B, alors que son nombre de voix est seulement 4 fois plus élevé.

CONCLURE

La méthode du plus fort reste avantage plutôt les listes minoritaires et la méthode de la plus forte moyenne avantage les listes les plus importantes.

Sav

● Peut-on parler de crise de la démocratie ?

DOC. 1 Taux d'abstention aux élections présidentielles depuis 1965 (en %)

	1er tour	2d tour
2017	22,2	25,4
2012	20,5	19,6
2007	16,2	16
2002	28,4	20,3
1995	21,6	20,3
1988	18,6	15,9
1981	18,9	14,1
1974	15,6	12,5
1969	22,3	31,1
1965	15,2	15,6

Source : d'après www.politiquemania.com

DOC. 2

Selon une analyse répandue, l'élection n'est plus la seule source de légitimité – quand bien même reste-t-elle le principal moyen d'organiser la dévolution du pouvoir. La vie démocratique s'élargit de plus en plus au-delà de la sphère électorale et des mécanismes de représentation. [...] De nombreux acteurs sont appelés à contribuer continûment à l'élaboration des choix collectifs. [...] De nouveaux modes d'expression débordent en conséquence les dispositifs traditionnels de représentation. [...] La démocratie participative propose de renforcer la portée de la participation citoyenne. Le modèle délibératif propose une confrontation permanente et élargie des intérêts sociaux. Il élargit le cercle des acteurs légitimes et crée de nouveaux espaces d'échange, tournés essentiellement vers « la société civile ».

Rémi Lefebvre, *Leçons d'introduction à la science politique*, éditions Ellipses, 2010.

INTRODUCTION La démocratie peut être définie comme « le gouvernement du peuple, par le peuple et pour le peuple ». Depuis le XVIIIe siècle, les démocraties modernes ont pris la forme de démocraties représentatives, mais certains signes semblent montrer que cette démocratie est en crise.

❶ Les caractéristiques d'une crise éventuelle de la démocratie représentative

Le vote est le cœur de la démocratie représentative. Or, les élections présidentielles de 2002 et 2017 ont été marquées par des pics d'**abstention*** (DOC. 1 : respectivement 28,4 % des électeurs au premier tour et 25,4 % au second tour).

▶ On peut interpréter cette abstention massive comme une crise de la représentativité. Elle peut s'expliquer par le **fossé grandissant** entre les électeurs et la classe politique.

▶ D'autre part, l'abstention peut être la conséquence de l'**impuissance** des représentants à agir dans un cadre politique de plus en plus dépendant des contraintes extérieures.

▶ Enfin, la **montée de l'individualisme** expliquerait un désintérêt pour les affaires publiques.

❷ L'évolution des régimes démocratiques

Il faut cependant nuancer cette crise.

▶ L'abstention aux élections présidentielles **a été parfois plus élevée** qu'aux élections de 2002 et 2017 (DOC. 1 : 31,1 % au second tour en 1969), et les élections de 2007 montrent une participation importante (DOC. 1).

▶ D'autres formes de démocratie se développent, comme la **démocratie participative** et la **démocratie délibérative*** (DOC. 2). La première associe les citoyens à la discussion des affaires publiques. Dans la seconde, les décisions politiques sont le résultat d'une discussion qui engage les citoyens concernés par ces décisions.

CONCLUSION Ce que certains ont appelé la crise de la démocratie apparaît plus comme un essoufflement de la démocratie représentative qu'une véritable remise en cause de celle-ci.

Suje
type

? QUIZ p. 41

La socialisation politique est un champ d'étude important en sciences politiques, car elle participe à la construction des comportements politiques.

1 Qu'est-ce que la socialisation politique ?

A Définition

▶ La socialisation désigne l'ensemble des processus contribuant à l'acquisition et à l'intériorisation par un individu des **normes, valeurs et comportements** caractéristiques de son **groupe d'appartenance**.

▶ Appliquée au champ politique, la socialisation politique* vise à étudier l'ensemble des processus contribuant à la formation des représentations, des choix et des comportements politiques*.

B Les objectifs de la socialisation politique

▶ Au **niveau macrosociologique**, elle a pour objectif d'assurer la permanence et la cohérence de l'organisation politique. Elle est ici perçue comme la transmission d'une culture politique*.

▶ Au **niveau microsociologique**, elle conduit chaque individu à construire ses choix et attitudes politiques à partir desquels il s'intègre au sein des groupes dont il est membre.

2 Processus et agents de la socialisation politique

A Les processus de la socialisation politique

▶ La socialisation politique s'opère de façon continue tout au long de la vie, au cours de situations qui ne sont pas nécessairement politiques. On distingue la **socialisation primaire** (socialisation de l'enfant) et la **socialisation secondaire** (socialisation de l'adulte).

▶ La socialisation politique – comme toute forme de socialisation – repose sur deux processus essentiels :
– la **transmission**, opération par laquelle les individus héritent de certaines normes et valeurs ;
– l'**acquisition**, procédé par lequel les individus construisent leurs représentations du monde par l'accumulation et la structuration d'expériences.

▶ Ces deux processus sont soutenus par deux mécanismes : la **familiarisation** (forme d'imprégnation par la répétition : commentaires d'événements, etc.) et l'**inculation** (transmission par des discours explicites : leçons de morale, etc.).

▶ Les **approches holistes** accordent une place essentielle aux contraintes sociales qui pèsent sur les individus dans le processus de socialisation, tandis que les **approches interactionnistes** l'envisagent comme un processus interactif dans lequel les individus sont capables d'interagir sur leur environnement.

citation « Est fait social toute manière de faire, fixée ou non, susceptible d'exercer sur l'individu une contrainte extérieure. »
É. Durkheim, 1895

B Les principaux agents de la socialisation politique

La socialisation politique mobilise un grand nombre d'agents dont les influences peuvent être à la fois complémentaires et contradictoires.

▶ La **famille** est un lieu de socialisation privilégié, car son influence s'exerce dans un cadre affectif fort et dès la prime enfance. C'est pourquoi on observe une assez forte transmission intergénérationnelle (quoique non systématique) des préférences politiques.

▶ L'**école**, par la transmission de savoirs, d'une culture civique*, par le vécu d'expériences scolaires (élections des délégués, rapport à l'autorité, etc.) et comme lieu de rencontre avec les pairs, contribue aussi à la socialisation.

▶ Les **médias**, notamment la télévision, concourent à la socialisation politique, mais leur influence réelle reste difficile à établir.

▶ Plus largement, l'ensemble des **groupes d'appartenance** (politiques, associatifs, sportifs, professionnels, etc.) et l'**environnement socio-économique** des individus sont des agents de la socialisation politique.

C O N C L U R E

La socialisation politique est un processus essentiel dans la formation des représentations et des préférences politiques.

? QUIZ p. 41

Contrairement à certaines idées reçues, l'intérêt pour la politique ne va pas de soi. Comment le définir et quels en sont les facteurs déterminants ?

1 Qu'est-ce que l'intérêt pour la politique ?

A Une définition multiforme

▶ L'intérêt pour la politique peut s'appréhender de multiples façons : inscription sur les listes électorales, participation aux scrutins électoraux, engagement associatif, connaissances relatives aux activités politiques, etc.

▶ Il peut se définir comme un rapport plus ou moins fort à la politique. Ce rapport peut parfois être objectivé par des **indicateurs précis** tels que le degré de participation à des élections ou le militantisme politique (→ FICHE 21). Ce rapport à la politique revêt également une **dimension subjective** importante, lorsque les individus se déclarent intéressés ou non.

B Comment mesurer l'intérêt pour la politique ?

▶ La mesure de l'intérêt pour la politique est une opération délicate. Il est difficile d'en construire un indicateur unique et objectif.

▶ Ainsi, l'intérêt pour la politique ne peut s'appréhender uniquement au regard de la participation électorale. En effet, **l'abstention électorale*** **n'est pas toujours un indicateur pertinent** de désintérêt pour la politique : elle peut aussi être liée à une offre électorale jugée insuffisante (→ FICHE 25). En outre, la participation électorale n'est qu'une des formes de la participation politique (→ FICHE 20).

▶ Le Centre de recherches politiques de Sciences Po (CEVIPOF) construit depuis quelques années un **indicateur de « l'implication » des citoyens** à l'égard du système politique en mesurant trois éléments : le degré d'intérêt pour la politique, le positionnement sur l'échelle gauche-droite, la confiance dans la gauche ou la droite pour gouverner. Selon cet indicateur, les données du baromètre politique à la fin de l'année 2016 indiquaient que 44 % des personnes interrogées déclaraient « ne pas s'intéresser » à la vie politique, contre 41 % en décembre 2010.

2 Un intérêt pour la politique inégalement distribué

A Quelques variables sociologiques

▶ Qu'il soit mesuré par des indicateurs objectifs ou subjectifs, l'intérêt pour la politique est fortement influencé par certaines variables discriminantes.

CITATION « Si l'on considère le niveau d'intérêt porté à la politique [par les jeunes], il n'y a pas d'écart probant avec les autres classes d'âge. » A. Muxel, 2012

• Il est croissant lorsque la **position sociale** et le **niveau de diplôme** s'élèvent.

• Les **femmes** se déclarent moins souvent intéressées par la politique que les **hommes**.

• L'**âge** affecte surtout le degré de participation électorale (→ FICHE 24) : l'abstention et la « non-inscription » sur les listes électorales sont plus élevées chez les jeunes et chez les plus âgés. Mais celui-ci n'est pas toujours synonyme de faible intérêt pour la politique (→ FICHE 25).

▶ L'intérêt pour la politique peut aussi être influencé par des **effets de contexte** (proximité d'une échéance électorale, enjeux politiques de la période plus ou moins forts, etc.).

B Comment expliquer l'inégal intérêt pour la politique ?

▶ La **précocité de la socialisation politique*** est un facteur propice à l'émergence d'un intérêt pour la politique. Cet effet est renforcé lorsque l'identification partisane est forte, notamment dans la sphère familiale.

▶ L'intérêt pour la politique est aussi étroitement lié au sentiment de **compétence politique**. Celle-ci s'exprime par la capacité à se situer dans l'espace des opinions politiques et par le fait de se sentir autorisé à émettre une opinion.

▶ Ces deux aspects de la compétence politique sont fortement corrélés au niveau de diplôme et à la position sociale : plus ils sont élevés et plus le sentiment de compétence politique est important.

CONCLURE

L'intérêt pour la politique conditionne la participation politique. Il est fortement corrélé à certaines variables sociologiques.

? QUIZ p. 41

Traditionnellement, la vie politique s'organise autour du clivage gauche-droite. En quoi est-il toujours un marqueur de l'identification partisane en France ?

1 Le clivage gauche-droite, marqueur de l'identification partisane

A Une opposition historiquement construite

▶ La référence aux termes « gauche » et « droite » date de la **Révolution française** : les monarchistes étaient assis à la droite du président de séance de l'Assemblée constituante, alors que les défenseurs du tiers état se plaçaient à sa gauche.

▶ Ces deux termes ont ensuite été progressivement utilisés **au gré des événements politiques** (avènement de la Troisième République, affaire Dreyfus, loi sur la séparation de l'Église et de l'État, etc.) pour caractériser les oppositions politiques qui s'y exprimaient.

▶ Aujourd'hui, le clivage gauche-droite est un point de repère important dans la **structuration des préférences politiques**, en France comme dans de nombreux autres pays.

B Oppositions idéologiques et politiques

▶ Alors que la gauche tend à considérer que le système économique et social produit de nombreuses **inégalités** qu'il convient, *a minima*, de corriger, la droite les perçoit comme plus naturelles et davantage liées au fonctionnement normal de la société.

▶ En conséquence, la gauche accorde traditionnellement une fonction particulièrement importante à l'**État** dans la **régulation** des activités économiques et sociales. Au contraire, la droite considère que le **marché** doit fonctionner librement et sans entraves.

▶ Le rapport à la **religion** est également un marqueur du clivage gauche-droite. Ainsi, dans les pays catholiques, la pratique religieuse est souvent corrélée à un positionnement politique à droite.

C Aspects sociologiques

▶ Le positionnement gauche-droite est historiquement et sociologiquement attaché aux **positions sociales des individus**. Les personnes qui se classent à gauche sont surreprésentées parmi les salariés de la fonction publique ; celles se classant à droite sont surreprésentées parmi les indépendants. Néanmoins, on constate que les catégories populaires dont le vote est historiquement associé à la gauche tendent à se disperser électoralement, notamment vers l'extrême droite.

▶ Le clivage gauche-droite est très dépendant de la **socialisation politique***. Il existe souvent une filiation familiale dans l'identification partisane : près de deux tiers des Français ont les mêmes préférences politiques que leurs parents (selon le CEVIPOF).

2 Le clivage gauche-droite est-il aujourd'hui moins prégnant ?

A Des évolutions structurelles

▶ Les évolutions structurelles de la société française contribuent à **atténuer certains clivages sociaux** : recul de la classe ouvrière, élévation du niveau de formation, mouvement de moyennisation de la société française (notamment au cours des Trente Glorieuses), crise du syndicalisme, etc.

▶ Ces mutations sont à l'origine d'une **recomposition des identités politiques** dans lesquelles le clivage gauche-droite devient moins prégnant. L'élection présidentielle de 2017 et la victoire d'Emmanuel Macron semblent confirmer ces évolutions.

B L'émergence de nouvelles questions

▶ Le positionnement gauche-droite est remis en cause par l'émergence de **nouvelles questions politiques**, comme la construction européenne et la mondialisation.

▶ De **nouvelles questions sociétales**, comme le mariage homosexuel ou la parité* hommes-femmes, dépassent aujourd'hui le clivage traditionnel gauche-droite.

CONCLURE

Le clivage gauche-droite demeure aujourd'hui encore un élément important de l'identification partisane, même s'il connaît des recompositions.

Cochez la ou les bonnes réponses.

1 *Le processus de socialisation politique*

Le processus de socialisation politique :
- ☐ a. se limite à l'enfance
- ☐ b. permet aux individus de construire leurs choix politiques
- ☐ c. favorise la cohérence de l'organisation politique

2 *Mesurer l'intérêt pour la politique*

	Vrai	Faux
1. Mesurer l'intérêt pour la politique se limite à évaluer le taux d'abstention.	☐	☐
2. Seuls les militants des partis politiques s'intéressent à la politique.	☐	☐
3. Il existe un seul indicateur pour mesurer l'intérêt pour la politique.	☐	☐

3 *Les déterminants de l'intérêt pour la politique*

La mesure de l'intérêt pour la politique :
- ☐ a. montre que les femmes sont moins intéressées par la politique que les hommes
- ☐ b. dépend seulement de facteurs objectifs comme l'âge, le sexe, la position sociale ou le niveau de diplôme
- ☐ c. est liée au sentiment de compétence politique

4 *L'actualité du clivage gauche-droite*

	Vrai	Faux
1. La mondialisation remet en cause le clivage gauche-droite.	☐	☐
2. Le clivage gauche-droite a moins de sens aujourd'hui.	☐	☐
3. La question de la parité caractérise le clivage gauche-droite.	☐	☐

Corrigés

1 *Le processus de socialisation politique* `Fiche 16`

Réponses b et c. En transmettant une culture politique, la socialisation politique transmet des normes et des valeurs qui vont influencer les choix politiques des individus tout au long de leur vie, favorisant ainsi la permanence et la cohérence de l'organisation politique.

2 *Mesurer l'intérêt pour la politique* `Fiche 17`

1. Faux. L'intérêt pour la politique ne peut se limiter à un seul indicateur comme l'abstention, car celle-ci peut être un véritable choix dû à une insuffisance de l'offre politique.

2. Faux. Le militantisme n'est qu'un aspect de l'intérêt pour la politique. Celui-ci se mesure également par la participation aux élections, la connaissance des mécanismes politiques, etc.

3. Faux. Si l'intérêt pour la politique peut être mesuré, il faut prendre en compte de multiples indicateurs.

3 *Les déterminants de l'intérêt pour la politique* `Fiche 17`

Réponses a et c. Historiquement, les femmes sont moins impliquées dans la vie politique, même si l'écart avec les hommes tend à se réduire. De plus, pour mesurer l'intérêt pour la politique, il faut non seulement prendre en compte des variables sociologiques objectives mais partir également du sentiment des individus qui peuvent se déclarer intéressés car ils s'estiment compétents pour faire des choix politiques.

4 *L'actualité du clivage gauche-droite* `Fiche 18`

1. Vrai. On soutient ou on condamne la mondialisation aussi bien à droite qu'à gauche.

2. Vrai. Près d'un tiers des électeurs considère que ce clivage est dépassé. Le résultat de l'élection présidentielle de 2017 semble confirmer cette évolution structurelle.

3. Faux. On soutient le principe de parité aussi bien à droite qu'à gauche.

? QUIZ p. 49

L'identification partisane s'exprime par la participation politique. Quels sont les formes et les facteurs de la participation politique ?

1 Les formes de la participation politique

A Les répertoires de l'action politique

▶ La participation politique correspond à l'**ensemble des modalités d'action dans la sphère publique**. Elle vise à infléchir les choix des gouvernants.

▶ L'historien et sociologue américain Charles Tilly a forgé le concept de « répertoire de l'action collective* » pour rendre compte des évolutions historiques des modes d'action politique. Il observe une évolution en trois temps de ce qu'il appelle l'**action collective**.

• Avant la Révolution industrielle, les actions collectives s'opèrent essentiellement dans un **cadre local** et ont peu de liens entre elles. Elles sont le plus souvent sous la coupe d'autorités reconnues.

• Après la Révolution industrielle, les formes de l'action collective évoluent : elles ont désormais un **caractère national** et tendent à s'autonomiser grâce à l'émergence de nouveaux acteurs (syndicats, associations, etc.).

• Aujourd'hui, l'accentuation du processus de mondialisation contribue à élargir l'espace des revendications en accordant une place plus grande aux **questions politiques internationales** (manifestations altermondialistes ou écologiques, par exemple).

B Participation conventionnelle et non conventionnelle

▶ La participation conventionnelle correspond à la **participation politique ordinaire**, ritualisée et organisée (vote, militantisme). Cette modalité de participation accorde un rôle important aux représentants politiques.

▶ La participation non conventionnelle repose davantage sur une **logique d'opposition** entre les citoyens et les représentants politiques (manifestations, pétitions, actions symboliques). Elle prend parfois appui sur de nouvelles organisations (coordinations, associations).

2 La participation politique, une action irrationnelle

A Le paradoxe de l'action collective

▶ Selon l'économiste américain **Mancur Olson**, l'inscription des individus dans des mouvements collectifs est paradoxale. En considérant que l'action individuelle repose sur une logique de rationalité (comparaison des coûts et des avantages), Olson estime que, dans une action collective mobilisant des grands groupes (grève, manifestation, etc.), l'attitude la plus rationnelle est d'agir en **passager clandestin**. En effet, comme les gains issus de la mobilisation sont des biens collectifs (ils bénéficient à tous), les individus ont intérêt à ne pas participer pour ne pas en supporter les coûts (perte de salaire et de temps, risque de représailles, etc.).

▶ Selon cette **approche utilitariste**, l'existence de mouvements collectifs s'explique alors par la mise en œuvre de **rétributions sélectives** (qui ne profitent qu'aux membres engagés dans l'action), ou encore parce qu'ils concernent des groupes de petite taille dans lesquels le contrôle social est plus fort.

B Les facteurs de la participation politique

D'autres approches considèrent que la participation politique ne se limite pas à la seule logique de la rationalité individuelle.

▶ Elle résulte aussi du **processus d'identification** des individus à une collectivité.

▶ Elle est également fonction de l'**intérêt** que les individus manifestent pour la politique et du **degré de compétence politique** qu'ils éprouvent (→ FICHE 17).

▶ En outre, la participation politique revêt une **dimension émotionnelle** : la recherche d'un intérêt ne concentre pas toutes les motivations de l'action ; la colère, la fierté, l'indignation sont également des motifs de protestation.

CONCLURE

La participation politique ne se limite pas à la pratique du vote, il existe un large répertoire de l'action politique.

? QUIZ p. 49

*Le militantisme est une
forme d'engagement politique. Comment le définir ?
Et comment caractériser ses évolutions ?*

1 *Définition et déterminants du militantisme politique*

A Qu'est-ce qu'un militant ?

► Il convient de distinguer le simple adhérent d'une organisation politique (parti politique, par exemple) du militant.

► Ce dernier se caractérise par un **engagement politique plus prononcé**, ses activités au service du groupe étant plus importantes. Il participe ainsi à des réunions, à la diffusion des positions politiques, à l'animation de campagnes électorales, etc.

► Le militantisme politique **ne nécessite pas l'inscription dans un parti politique**. Militer dans une association ou un syndicat est un engagement tout autant politique.

B Quelques déterminants de l'engagement militant

► Le militantisme politique est directement lié à l'**intérêt pour la politique** et au sentiment subjectif d'être doté d'une **compétence politique** (→ FICHE 17).

► La socialisation politique* réalisée par la famille (→ FICHE 16) joue aussi un rôle essentiel en transmettant (ou non) l'intérêt pour les questions politiques, et en forgeant les représentations de ce qui est (ou non) politique. Il existe donc une forme d'**héritage familial** de l'action militante.

► Cependant, la socialisation politique ne se limite pas à la sphère familiale. L'**école** est un lieu d'initiation aux débats politiques et de mobilisation collective. Un tel environnement peut conduire à devenir militant, notamment dans le cadre de syndicats lycéens ou étudiants. L'adhésion à des mouvements de jeunesse comme le scoutisme influence l'inscription dans des organisations politiques.

► De nombreuses études insistent sur le **poids des expériences** comme facteur d'engagement militant. Par exemple, être victime de la fermeture d'une entreprise peut pousser à vouloir militer pour défendre ses droits ou plus largement ceux des chômeurs.

2 Une crise du militantisme ?

A Une baisse du nombre de militants

▶ Même si le nombre d'adhérents politiques a varié selon les **contextes historiques** – le Front populaire, la Libération ont été des périodes de fort engagement politique –, la France, comparativement à d'autres pays, n'a jamais été un pays de très fort militantisme.

▶ Les partis politiques connaissent une **tendance à la baisse du nombre d'adhérents**. Aujourd'hui, ceux-ci représentent à peine 1 % de la population adulte. De plus, les données concernant le nombre d'adhérents sont particulièrement opaques. Les partis les plus importants en France en nombre d'électeurs, le Parti socialiste (PS) et l'Union pour un mouvement populaire (UMP), ne comptent actuellement qu'environ 130 000 adhérents chacun et peu d'entre eux sont véritablement des militants. La **crise du militantisme syndical** confirme ces observations.

▶ Moins nombreux, les engagements militants seraient aussi de plus en plus souvent circonscrits à des **causes précises**, moins idéologiques et plus limitées dans le temps.

B Éléments sociologiques d'interprétation

▶ Certains sociologues analysent ces évolutions comme le signe d'une crise du militantisme dont le **repli sur la sphère privée**, la **perte de confiance dans les institutions politiques** et la **dépolitisation** seraient les principaux ressorts.

▶ D'autres approches sociologiques nuancent ces constats en insistant sur le **renouvellement des formes d'engagement** (l'activisme sur Internet, par exemple) et sur la nécessité de comprendre les mutations du militantisme au regard du contexte défavorable dans lequel elles s'opèrent (chômage de masse, évolution des formes de l'organisation du travail, résignation liée à la mondialisation, etc.).

CONCLURE

Être un militant politique traduit un fort degré d'engagement politique. Le militantisme politique ne concerne qu'une faible partie de la population.

? QUIZ p. 49

*Quelles sont aujourd'hui les
principales caractéristiques de la protestation politique ?*

1 Les déterminants de la protestation politique

A Qu'est-ce que la protestation politique ?

▶ La protestation politique est une des modalités possibles de la participation politique. Elle désigne une expression politique marquant une **opposition vis-à-vis des autorités**.

▶ Les formes de la protestation politique sont diverses (manifestation, pétition, grève, boycott, etc.). On les associe fréquemment aux modes d'**action politique non conventionnelle**.

B Profil sociologique des protestataires

▶ L'augmentation des actions protestataires résulte d'un **effet générationnel** : les jeunes générations sont plus enclines à protester. Le développement depuis les années 1970 des manifestations lycéennes illustre bien cette situation.

▶ L'inscription dans des mouvements protestataires est **plus importante chez les hommes** que chez les femmes.

▶ Contrairement à ce que l'on pourrait penser *a priori*, la protestation politique n'est **pas le propre des catégories socialement défavorisées**, c'est-à-dire celles qui auraient objectivement le plus de raisons de protester. Cependant, comme toute forme d'action politique, elle suppose à la fois un intérêt pour la politique et un sentiment de compétence. C'est pourquoi elle varie selon le **niveau de diplôme** et plus largement selon la **position sociale** : les plus diplômés et les membres des catégories sociales les plus favorisées sont surreprésentés dans les actions de protestation.

▶ L'adhésion à une association ou à un parti politique renforce assez logiquement la participation à des formes collectives de contestation. Alors que la protestation s'exprime historiquement davantage à gauche qu'à droite, on observe aujourd'hui une réduction des écarts : l'**orientation politique n'est donc plus aussi discriminante**.

2 La protestation politique en mutation

A Le développement des actions protestataires

▶ Ce **mode d'expression politique** s'est développé ces trente dernières années. Il s'accentue au cours des années 2000. Selon le CEVI-POF, en décembre 2016, en France, 46 % des personnes interrogées déclarent que voter aux élections constitue leur mode d'expression publique préféré ; cependant 58 % se disent également prêtes à manifester pour défendre leurs idées.

▶ De nombreux exemples viennent étayer la thèse d'une **diversification** des formes et des objets des conflits sociaux : les mouvements des « Indignés », les mouvements des « sans », les mouvements altermondialistes, etc.

> CITATION « Au lieu de productivité, je propose vitalité ; au lieu de compétitivité, coopération, et face à l'innovation qui consiste à inventer des choses pour les vendre, la création. »
> J. L. Sampedro, inspirateur du mouvement des Indignés espagnols, 2011

▶ Cette évolution de la protestation politique est particulièrement **forte chez les jeunes** : en 2015, 42 % des 18-30 ans déclarent avoir signé une pétition en ligne ou participé à une manifestation au cours des douze derniers mois.

B Quels éléments d'interprétation ?

▶ Le développement de la protestation politique entre en **contradiction avec** la thèse communément défendue d'un **désintérêt croissant pour la politique**.

▶ Il traduit un élargissement des formes de la participation politique vers des **modes d'actions plus spontanés**, moins institutionnalisés par les organisations traditionnelles (partis, syndicats).

▶ On peut y voir le signe d'un déclin de la démocratie représentative, mais au profit du modèle de **démocratie participative** (→ FICHE 8).

▶ Selon une autre perspective, la montée des phénomènes protestataires illustre un accroissement de la **conflictualité** dans la société, qui trouverait son origine dans l'accentuation des inégalités et des tensions entre les groupes, et dans la fragilisation du lien social.

CONCLURE

La protestation politique se développe. Cette évolution traduit une évolution des formes de la participation politique.

Cochez la ou les bonnes réponses.

1 *La participation politique*

La participation politique correspond à :
- ☐ a. l'ensemble des actions politiques à l'échelon local
- ☐ b. l'ensemble des modalités d'action dans la sphère publique
- ☐ c. l'élection des représentants

2 *Les formes de la participation politique*

	Vrai	Faux
1. Le vote est une forme de participation politique conventionnelle.	☐	☐
2. Militer est une forme de participation politique non conventionnelle.	☐	☐
3. La pétition est une forme de participation politique conventionnelle.	☐	☐

3 *La crise du militantisme politique*

On peut expliquer la crise du militantisme politique en France :
- ☐ a. par le développement de nouvelles formes d'engagement
- ☐ b. par le repli des individus sur la sphère privée
- ☐ c. il n'y a pas de crise du militantisme

4 *La protestation politique*

	Vrai	Faux
1. La protestation politique constitue aujourd'hui une remise en cause de la démocratie.	☐	☐
2. La protestation politique s'exprime d'une manière de plus en plus violente.	☐	☐
3. Les catégories défavorisées protestent relativement moins que les autres catégories.	☐	☐

Corrigés

1 *La participation politique*
Fiche 20

Réponse b. La participation politique peut avoir des formes très diverses, car elle a comme objectif d'infléchir l'action des représentants élus.

2 *Les formes de la participation politique*
Fiche 20

1. Vrai. Dans une démocratie représentative, c'est la principale forme de participation politique.

2. Faux. Les militants d'un parti politique participent au fonctionnement de la démocratie représentative, notamment en alimentant le débat politique.

3. Faux. La pétition s'inscrit dans une logique d'opposition aux représentants élus.

3 *La crise du militantisme politique*
Fiche 21

Réponses a et b. Si la crise du militantisme en France n'est pas nouvelle, les partis politiques connaissent un effondrement de leur nombre d'adhérents qui peut s'expliquer de plusieurs façons. La première explication est celle de Tocqueville à propos de la démocratie américaine qu'il a étudiée dans les années 1830 : les démocraties sont caractérisées par la volonté des individus de privilégier leur bonheur privé, ce qui entraîne un repli sur la sphère privée. Cependant, cette analyse apparaît insuffisante car de nouvelles formes d'engagement se développent.

4 *La protestation politique*
Fiche 22

1. Faux. Si la protestation politique remet en cause les décisions et la légitimité des représentants élus, elle exprime également une volonté de renforcer la démocratie par un contrôle plus étroit de ces derniers et par une plus forte implication des citoyens.

2. Faux. Les formes de protestation se diversifient mais, si le recours à la violence peut être considéré comme légitime, celle-ci reste limitée et n'a pas de véritable caractère insurrectionnel comme au XIXe siècle.

3. Vrai. Les catégories défavorisées ne se sentent pas toujours compétentes pour protester contre les décisions des représentants élus.

? QUIZ p. 59

*Dans une démocratie, le vote est
un élément essentiel de la participation politique.*

1 Les facteurs du comportement électoral

A Les facteurs écologiques et historiques

▶ L'**écologie électorale** vise à établir des corrélations entre les préférences électorales et les caractéristiques économiques, démographiques, culturelles et religieuses d'un espace donné.

▶ Les approches historiques insistent sur le **rôle des événements historiques** (la Révolution française, par exemple) comme marqueurs des préférences idéologiques de certaines régions.

B Les variables lourdes du comportement électoral

▶ De nombreuses enquêtes sociologiques ont permis de mettre en évidence des « variables lourdes » du comportement électoral*. Il ne s'agit pas d'établir des relations mécaniques et absolues mais de constater des **régularités statistiques**.

Variables	Incidences sur le comportement électoral
la position de classe	L'appartenance à la classe ouvrière a longtemps été prédictive d'un vote à gauche.
la pratique religieuse	En France, les catholiques pratiquants votent traditionnellement à droite.
le patrimoine et le statut professionnel	Un patrimoine économique élevé et le statut d'indépendant sont prédictifs d'un vote à droite.
le sexe	Jusqu'au début des années 1970, les femmes s'abstenaient et votaient plus souvent à droite que les hommes. On observe aujourd'hui une uniformisation des comportements électoraux selon le sexe.
l'âge et l'effet de génération	L'âge affecte surtout le degré de participation électorale : les plus jeunes et les plus âgés s'abstiennent plus fréquemment. La génération influencerait davantage l'orientation idéologique.

▶ L'impact de ces variables sur le vote évolue. Aujourd'hui, l'**appartenance socioprofessionnelle** et la **religion** seraient les variables les plus prédictives du vote.

② L'émergence d'un nouvel électeur ?

Ⓐ Un accroissement de la volatilité électorale

▶ Depuis les années 1970, de nombreuses études mettent en évidence une **volatilité accrue des comportements électoraux**, qui deviendraient de moins en moins prévisibles.

▶ Sous les effets des **transformations structurelles** de la société (élévation du niveau de diplôme, féminisation de la population active, etc.), les variables dites lourdes du vote n'auraient plus la même portée explicative.

Ⓑ Un électeur plus rationnel ?

▶ Pour certains, il faut y voir l'émergence d'un **électeur nouveau**, dont les comportements seraient essentiellement déterminés par une logique de rationalité.

▶ L'électeur, affranchi de l'influence de ses groupes d'appartenance, adapterait son comportement à chaque élection en cherchant à **maximiser son intérêt**.

▶ Son choix résulterait donc d'un calcul coûts-avantages établi en fonction de l'**offre électorale** (candidats, programmes) et des **enjeux de l'élection** (nationaux, locaux).

▶ Ces approches accordent donc une **plus grande liberté** à l'électeur dans la formulation de ses choix et dans sa capacité à construire un vote sur enjeu*.

CONCLURE

Les variables sociologiques affectent les choix électoraux, mais ne les déterminent pas en totalité : les électeurs agissent de façon rationnelle.

QUIZ p. 59

*La montée de l'abstentionnisme
est aujourd'hui un lieu commun. Quelle est la réalité
de ce phénomène et comment peut-on l'expliquer ?*

1 Les évolutions récentes de l'abstention

A Définir et mesurer l'abstention

▶ L'abstention électorale* désigne un **refus volontaire de participer à un scrutin**. On la mesure en calculant le taux d'abstention, c'est-à-dire le rapport entre le nombre de personnes ayant voté et le nombre d'inscrits sur les listes électorales (le corps électoral).

▶ Le taux d'abstention n'est qu'une **mesure imparfaite de la participation électorale**, puisqu'une partie de la population n'est pas inscrite sur les listes électorales. Le taux de non-inscription sur les listes électorales est assez stable dans le temps, il est estimé à 10 % de la population en âge de voter.

B Une montée inégale de l'abstention

▶ On observe globalement une augmentation de l'abstentionnisme électoral. Moins d'un électeur inscrit sur deux vote à toutes les élections en France. Le vote devient donc **plus intermittent**. Ce phénomène touche un grand nombre de pays développés : aux États-Unis, plus de la moitié des électeurs ne vote pas.

▶ L'abstention est très **dépendante du type d'élections** : elle est plus forte pour les élections locales et européennes que pour les élections présidentielles. Mais elle connaît aussi des variations importantes pour un même type d'élection. Ainsi, le taux d'abstention au premier tour de l'élection présidentielle de 2002 s'est élevé à 28,4 % contre 16,2 % en 2007 et 20,5 % en 2012 (→ FICHE 15).

2 Comment expliquer l'abstentionnisme électoral ?

A Les facteurs traditionnels de l'abstention

▶ L'abstention peut s'interpréter comme le signe d'un **défaut d'intégration sociale**. Le taux d'abstention est, par exemple, beaucoup plus élevé chez les chômeurs que chez les actifs occupés, chez les personnes célibataires que chez les personnes mariées. Toutes les formes d'**appartenance communautaire** renforcent ainsi la participation électorale.

▶ Le sociologue français Daniel Gaxie a montré qu'il existait un « cens caché » de la participation électorale (en référence au scrutin censitaire qui était réservé aux personnes pouvant s'acquitter d'un impôt, le cens). En effet, l'abstention est fortement corrélée à l'intérêt pour la politique et au sentiment de compétence politique (→ FICHE **17**), eux-mêmes très dépendants du niveau de diplôme. Le « cens caché » serait donc lié à une **distribution inégale du capital culturel** au sein de la population.

B Les différentes figures de l'abstention

L'abstention ne peut s'interpréter uniquement comme le signe d'un désintérêt croissant pour la politique. Pour rendre compte de la complexité de l'abstentionnisme électoral, la sociologue française Anne Muxel a établi une distinction entre l'abstention hors du jeu politique et l'abstention dans le jeu politique.

▶ L'abstention **hors du jeu politique** marque une forme de retrait de la vie politique, soit par un défaut d'intégration sociale, soit par un manque d'intérêt pour la politique et une faible politisation.

▶ L'abstention **dans le jeu politique** (ou le non-vote) est plutôt le fait de personnes bien intégrées socialement et politisées. L'abstention est ici intermittente et plus stratégique : elle est fortement liée au contexte de l'élection (type d'élection, candidat). Elle donne ainsi l'image d'un électeur rationnel qui s'abstient pour protester, ou qui vote au regard des enjeux qu'il perçoit de l'élection. Depuis les années 1970, les enquêtes démontrent que c'est cette forme d'abstention qui a le plus progressé.

CONCLURE

L'abstention électorale progresse. Elle est très variable selon le type d'élection. Son interprétation ne peut pas se limiter à un désintérêt pour la politique.

*Les médias sous toutes leurs
formes sont omniprésents dans la vie quotidienne.
Quel est leur impact sur la vie politique
et sur le comportement électoral ?*

1 Une médiatisation croissante de la vie politique

A L'omniprésence des médias

▶ Les médias désignent l'ensemble des **moyens de diffusion de l'information**.

▶ Près de la totalité des ménages possède au moins une **télévision**, et plus de 40 % des Français la regardent quotidiennement entre deux et quatre heures. De **nouveaux médias** (Internet, réseaux sociaux numériques) voient leurs usages se développer très rapidement.

B Les effets des médias sur la vie politique

▶ Par leur très forte audience auprès des citoyens, les médias (la télévision en particulier) sont au cœur de toutes les campagnes électorales et deviennent des **acteurs essentiels** de la vie politique.

▶ Pour les femmes et les hommes politiques, les médias sont une **ressource** lorsqu'ils parviennent à les mobiliser à leur profit, en y étant invités ou parce qu'ils maîtrisent les principes du discours médiatique.

▶ Toutefois, cette ressource est aussi une **contrainte**. En effet, les médias ont la capacité à sélectionner et à définir les « problèmes publics » sur lesquels ils vont interpeller les représentants politiques. Les médias obligent également le personnel politique à soigner sa stratégie de communication. Cette attention conduit souvent à privilégier la forme sur le fond du message.

▶ Les médias renforcent également la **personnalisation de la vie politique** (voire sa « peopolisation ») en s'intéressant davantage aux caractéristiques individuelles des candidats qu'à leurs propositions politiques.

2 Quelle est l'influence des médias sur le comportement électoral ?

A Les médias comme éléments structurants des représentations politiques

En tant que source d'accès principale aux informations politiques et acteurs de leur mise en scène, les médias participent à la **formation des représentations politiques**.

▶ En imposant certaines thématiques au détriment d'autres, en jouant sur le registre émotionnel, les médias sélectionnent les informations et, ce faisant, ils sont susceptibles d'**infléchir les opinions et attitudes politiques**.

▶ Les **sondages**, en livrant un état des forces politiques en présence, en anticipant les résultats des élections, sont eux aussi de nature à orienter les votes (→ FICHE 27). Par exemple, un scrutin perçu comme « joué d'avance » dans les sondages peut pousser à l'abstention électorale*.

B Un impact à nuancer

▶ Les études des processus de la socialisation politique* (→ FICHE 16) montrent que le rôle des médias dans la formation des idées politiques reste incertain, notamment parce que toute information fait l'objet d'une **réinterprétation**.

▶ Le sociologue américain Paul Lazarsfeld a ainsi démontré, dès les années 1950, que les médias ont un **effet limité** sur les individus. Premièrement, l'accès aux médias est socialement déterminé, et chaque individu s'oriente prioritairement vers des médias correspondant à ses préférences idéologiques. Deuxièmement, l'information reçue par les individus est ensuite retraduite en fonction de leurs propres dispositions, qui sont socialement construites (catégorie socioprofessionnelle, famille, etc.).

▶ Enfin, de nombreux exemples montrent qu'il est erroné de croire que les médias et les sondages « font » les élections. En effet, la plupart des résultats électoraux sont marqués par des « **surprises** ».

CONCLURE

La médiatisation croissante n'est pas sans effet sur la vie politique. Toutefois, l'incidence des médias sur les comportements électoraux reste sujette à débat.

QUIZ p. 59

*Comment effectue-t-on
des sondages ? Quelle est leur fiabilité ?*

1 Définition d'un sondage

▶ Selon la Commission des sondages (institution créée en 1977 ayant pour mission de contrôler la qualité et l'objectivité des sondages), un sondage est une « opération visant à donner une **indication quantitative de l'opinion d'une population** au moyen d'un échantillon représentatif de cette population ».

▶ Les sondages sont réalisés par des entreprises privées : les instituts de sondage. S'ils sont utilisés dans de nombreux domaines, ils sont particulièrement importants en période électorale, car on leur accorde un **rôle prédictif** : ils permettraient de prévoir les résultats des élections.

▶ Cette situation a amené les législateurs à leur donner un **cadre légal** en 1977. La loi votée ne concerne que les sondages politiques : elle définit les règles que les sondeurs et médias qui diffusent ces sondages doivent respecter.

2 Le choix de l'échantillon

Dans un sondage, seule une **partie de la population** (l'échantillon) est censée représenter l'opinion de cette population. Cet échantillon doit donc être **représentatif**, c'est-à-dire reproduire les caractéristiques **socio-démographiques** de la population étudiée.

A La constitution de l'échantillon

Il existe deux méthodes.

▶ La **méthode des quotas** est la plus utilisée car la moins coûteuse. Le principe est de construire un échantillon reprenant les caractéristiques de la population étudiée qui ont été au préalable choisies. Par exemple, soit une population de 1 000 000 de personnes dont 40 % sont des hommes et 60 % des femmes. Ces pourcentages représentent des quotas. Ainsi, un échantillon de 100 000 personnes doit être composé de 40 000 hommes et 60 000 femmes.

► La **méthode aléatoire** consiste à choisir les personnes de l'échantillon en les tirant au sort dans la population étudiée. Le principal inconvénient réside dans la difficulté à avoir un fichier complet et représentatif de cette population au moment de l'enquête.

Ⓑ La taille de l'échantillon

► Le nombre de personnes interrogées a des effets sur la précision des résultats de l'enquête. Ainsi, plus l'échantillon est petit, plus la marge d'erreur est importante.

► On peut la résumer dans le tableau suivant :

Taille de l'échantillon	100	400	1 000	1 600	10 000
Marge d'erreur (en %)	10	5	3	2,5	1

❸ *Les sondages se trompent-ils ?*

► Alors que les sondages sont de plus en plus nombreux, la **fiabilité de leurs résultats** est remise en question pour différentes raisons : la manière dont sont posées les questions, la passation des questionnaires, le traitement des données, etc.

► Lors des élections municipales de mars 2014, les **instituts de sondages** ont à nouveau été mis en cause car ils n'ont pas permis de prévoir la lourde défaite de la gauche et la nouvelle percée du Front national. Cependant, pour Renaud Dély, journaliste au *Nouvel Observateur*, la sous-estimation du vote Front national s'explique : les électeurs de ce parti ont encore du mal à reconnaître leur vote lors des enquêtes. De plus, la **volatilité** croissante de l'électorat et l'importance de l'**abstention électorale*** sont des facteurs qui biaisent les estimations des instituts de sondage.

► Pour Gaël Sliman de l'institut BVA, les grandes tendances dégagées sont le plus souvent exactes, même si les sondages contiennent toujours une **marge d'erreur**.

C O N C L U R E

Les sondages prennent de plus en plus d'importance au cours des campagnes électorales. Cependant, ils sont contestés du fait des écarts observés avec les résultats des élections, ce qui pose la question de leur fiabilité.

Cochez la ou les bonnes réponses.

1 *Les variables lourdes du comportement électoral*

Les enquêtes sur les élections montrent que :
- ☐ a. les catholiques pratiquants votent plus à droite
- ☐ b. les femmes votent plus à gauche
- ☐ c. les indépendants votent plus à droite

2 *L'émergence d'un nouvel électeur*

	Vrai	Faux
1. La volatilité électorale aurait tendance à se développer.	☐	☐
2. Un électeur rationnel vote en fonction de son intérêt personnel.	☐	☐
3. Un électeur rationnel ne tient pas compte des enjeux de l'élection.	☐	☐

3 *Les facteurs de l'abstention*

	Vrai	Faux
1. L'abstention est plus élevée chez les chômeurs.	☐	☐
2. Il existe un « cens caché » de la participation électorale.	☐	☐
3. L'abstention peut être intermittente.	☐	☐

4 *Les effets des médias sur la vie politique*

Les médias :
- ☐ a. renforcent la personnalisation de la vie politique
- ☐ b. jouent un rôle primordial dans le résultat des élections
- ☐ c. n'ont aucune influence sur les comportements politiques

5 *Les sondages*

La fiabilité des résultats des sondages est liée à :
- ☐ a. la taille de l'échantillon
- ☐ b. la volatilité de l'électorat
- ☐ c. la nature des élections

1 *Les variables lourdes du comportement électoral* — Fiche **24**

Réponses a et c. La pratique religieuse est, avec l'appartenance socioprofessionnelle, l'une des variables les plus prédictives du comportement électoral.

2 *L'émergence d'un nouvel électeur* — Fiche **24**

1. **Vrai.** Depuis les années 1970, on constate que les résultats des élections sont de moins en moins prévisibles.

2. **Vrai.** L'électeur rationnel cherche à maximiser son intérêt par un calcul coûts-avantages.

3. **Faux.** Le calcul coûts-avantages dépend de l'offre électorale et des enjeux des élections.

3 *Les facteurs de l'abstention* — Fiche **25**

1. **Vrai.** Les chômeurs sont moins intégrés socialement et s'abstiennent plus fréquemment.

2. **Vrai.** Selon Daniel Gaxie, la participation aux élections dépend de la « compétence » que s'attribuent les électeurs. Ainsi, seuls ceux qui s'estiment compétents votent, au même titre que ceux qui versaient un impôt, le « cens », lorsque l'élection était censitaire.

3. **Faux.** L'intermittence concerne seulement l'abstention qualifiée « dans le jeu politique » en fonction de l'offre électorale. C'est le vote qui devient plus intermittent.

4 *Les effets des médias sur la vie politique* — Fiche **26**

Réponse a. Les médias s'intéressent plus à la personnalité des candidats qu'à leurs programmes politiques.

5 *Les sondages* — Fiche **27**

Réponses a et b. Plus l'échantillon de personnes interrogées est réduit, plus la marge d'erreur est importante. De plus, les personnes interrogées n'ont pas toujours une idée exacte de leur vote au moment où ils répondent au sondage. Par contre, la nature de l'élection ne joue pas de rôle dans les résultats des sondages.

Mesurer
des phénomènes électoraux

Quels sont les indicateurs des phénomènes électoraux ?

1 L'indice d'Alford

A Généralités

▶ **Mode de calcul.** L'indice d'Alford se calcule le plus souvent en effectuant la **différence entre le pourcentage de votes à gauche parmi les ouvriers et le pourcentage de votes à gauche dans les autres catégories socioprofessionnelles**.

▶ **Interprétation.** Plus l'indice est élevé et plus la différence entre le vote des ouvriers se distingue de celui des autres catégories sociales, révélant un **vote de classe** important.

B Application

DOC. **Vote à gauche (en %) des ouvriers et de l'ensemble des électeurs**

	Législatives de 1978	Présidentielles de 1988	Présidentielles de 1995	Présidentielles de 2002
Ouvriers	70	63	49	43
Total des électeurs	53	49	41	43
Indice d'Alford	17	14	8	0

Source : Nonna Mayer, « Que reste-t-il du vote de classe ? Le cas français », *Lien social et politique*, n° 49, 2003.

▶ Ces données montrent que l'indice d'Alford diminue continûment en France d'une élection à l'autre. Le vote à gauche des ouvriers se distingue de moins en moins de celui des autres catégories sociales. L'appartenance de classe **ne semble donc plus être un élément décisif** de l'orientation électorale.

▶ Le déclin d'un vote de classe chez les ouvriers relève de **multiples facteurs** dont les effets se conjuguent : la tertiarisation de l'emploi, la crise des industries traditionnelles, la précarisation croissante de l'emploi, le développement du chômage, etc.

2 *Les indices de la volatilité électorale*

▶ La volatilité électorale est un phénomène **difficile à mesurer**. La modification du vote d'un électeur entre deux élections peut s'interpréter comme un changement d'orientation politique, mais elle peut aussi être liée à un autre facteur, comme un changement de l'offre électorale. En outre, la mesure de la volatilité est affectée par les variations de l'abstention* d'une élection à l'autre.

▶ Il existe différentes mesures de la volatilité électorale.

• Une première méthode consiste à reconstituer les **itinéraires de vote entre plusieurs élections** pour ainsi dégager une stabilité ou une instabilité des votes.

• Une seconde mesure de la volatilité (ou de l'indécision) des votes prend appui sur le **moment de détermination du vote** : plus il est proche de l'élection, plus l'instabilité ou l'indécision électorale est forte.

▶ Les résultats des enquêtes sur la volatilité des votes indiquent qu'environ 10 % des électeurs modifient leurs choix entre la gauche et la droite entre trois élections.

3 *Le taux de participation électorale et le taux de mobilisation électorale*

▶ Le taux de **participation électorale** se mesure en effectuant le rapport entre le nombre de personnes ayant voté à une élection et le nombre d'inscrits sur les listes électorales.

▶ Le taux de **mobilisation électorale*** se mesure par le rapport entre le nombre de votants et la population totale en âge de voter. L'intérêt de cet indicateur est qu'il prend en compte les personnes qui ne sont pas inscrites sur les listes électorales.

CONCLURE

Il existe plusieurs indicateurs, mais les phénomènes électoraux sont de plus en plus difficiles à mesurer.

Sav

Comment expliquer la montée de l'abstention ?

DOC. 1

Les facteurs censés faire reculer l'abstention, tels que l'augmentation du niveau d'instruction ou encore la montée des
classes moyennes, se diffusent dans l'ensemble des démocraties occidentales. [...] Cette évolution remet en partie en
cause les modèles sociologiques classiques d'interprétation de
l'abstention. [...] C'est ainsi qu'a été relancé l'intérêt pour les
modèles dits du « choix rationnel » [...].

La généralisation de l'intermittence de l'acte électoral est le
signe d'un certain affaiblissement du devoir de voter et révèle
des changements réels dans les représentations mêmes de la
citoyenneté. [...] [L'abstention] n'est pas seulement le signe d'un
retrait ou d'un désinvestissement de la scène électorale. Pour
des électeurs de plus en plus nombreux, elle est utilisée comme
une réponse électorale à part entière, exprimant leur malaise à
l'égard d'une offre politique jugée insatisfaisante ou une sanc-
tion à l'encontre des gouvernements sortants.

Anne Muxel, « Système politique, attitudes et formes de politisation »,
in Olivier Galland et Yannick Lemel, *La Société française. Un bilan
sociologique des évolutions de l'après-guerre*, éditions Armand Colin, 2011.

DOC. 2 Taux d'abstention au premier tour depuis 1981 (%)

Année	Élections présidentielles	Élections législatives
2017	22,2	51,3
2012	20,5	42,8
2007	16,23	39,6
2002	28,4	35,6
1997		32
1995	21,6	
1993		30,8
1988	18,6	34,3
1986		21,5
1981	18,9	29,1

Source : d'après www.france-politique.fr

INTRODUCTION L'idée d'un accroissement de l'abstention électorale – refus volontaire de participer à une élection – est aujourd'hui largement partagée. Bien que l'évolution du taux d'abstention soit irrégulière, on observe tout de même une tendance à l'augmentation de l'abstention électorale. Dès lors, comment expliquer la montée de l'abstention ?

❶ L'augmentation du nombre de citoyens « hors du jeu politique »

▶ La montée de l'abstention électorale* s'explique par un **accroissement du nombre d'électeurs hors du jeu politique**. En effet, le vote suppose un intérêt pour la politique et le sentiment d'être compétent pour formuler une opinion politique.

▶ Cette double condition est fortement corrélée au **niveau de diplôme** et au degré d'**intégration sociale**. L'aggravation des inégalités socioéconomiques est de nature à renforcer le nombre d'électeurs se situant hors du jeu politique.

❷ L'émergence de nouveaux types d'électeurs

▶ L'abstention électorale révèle aussi l'émergence de **nouveaux comportements de la part des électeurs** (DOC. 1). L'abstention ne signifie pas systématiquement une position hors du jeu politique. Elle peut aussi s'inscrire dans le jeu politique comme volonté de contester l'offre politique du moment et/ou conséquence de choix rationnels des électeurs en fonction des enjeux de l'élection (DOC. 2 : taux d'abstention plus élevé aux élections législatives qu'aux élections présidentielles).

▶ L'**instabilité du taux d'abstention** entre les élections présidentielles de 2002 et 2007 (respectivement 28 % et 16 %, DOC. 2) est certainement liée à la volonté d'une partie des électeurs que le scénario de l'élection de 2002 ne se reproduise pas, même si le taux d'abstention augmente à nouveau en 2012 et en 2017 (DOC. 2).

CONCLUSION La montée de l'abstention électorale ne peut s'analyser uniquement comme le signe d'un désintérêt croissant de la politique et d'une incapacité à se situer politiquement. Elle est aussi la conséquence de stratégies mises en œuvre par les électeurs.

Suje
type

Les institutions européennes

(→ DÉPLIANT, VIII À XII)

 QUIZ p. 73

L'Union européenne possède des institutions auxquelles les États membres ont transféré une partie de leurs compétences.

1 Les principales structures de l'Union européenne

A Les origines de l'Union européenne (UE)

▶ L'UE a été créée par le **traité sur l'Union européenne** (TUE), signé à Maastricht le 7 février 1992 et entré en vigueur le 1er novembre 1993. En 2007, le traité de Lisbonne complète le TUE pour le fonctionnement de l'UE.

▶ Les objectifs recherchés par la construction européenne sont d'abord, dès les années 1950, de construire une **paix durable** et d'**accélérer la reconstruction économique**.

CITATION « L'Europe ne se fera pas d'un coup, ni dans une construction d'ensemble : elle se fera par des réalisations concrètes créant d'abord une solidarité de fait. » R. Schuman, 1950

▶ Ensuite, à partir de la fin des années 1950, l'idée qu'une solidarité entre les pays européens doit permettre au continent de **retrouver sa puissance économique** est renforcée.

B Les différents pouvoirs dans l'Union européenne

▶ S'il n'y a **pas de constitution européenne**, les traités européens ont défini le cadre du système politique européen.

▶ Chaque institution peut disposer de plusieurs compétences, comme l'illustre le schéma institutionnel suivant :

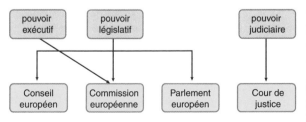

▶ Dans le schéma ci-dessus, on peut voir que la **Commission européenne** joue un rôle essentiel puisqu'elle a à la fois un rôle législatif et exécutif. Chaque pays propose un commissaire, mais leur nomination doit être approuvée par le Parlement européen.

2 *Les relations entre les institutions de l'Union européenne*

A Le Conseil européen et le Parlement européen

▶ Le **Conseil européen** est composé des chefs d'État ou de gouvernement des pays membres de l'UE, du président de la Commission européenne, du haut représentant de l'Union pour les Affaires étrangères et la Politique de sécurité. Le président du Conseil européen est élu par le Conseil pour deux ans et demi. Il définit les **orientations politiques générales** de l'Union. Le Conseil européen ne doit pas être confondu avec le Conseil des ministres, qui réunit les ministres de chaque pays membre et dont la présidence change tous les six mois.

▶ Le **Parlement européen** est composé de 751 députés européens élus au suffrage universel tous les 5 ans, chaque pays disposant d'un certain nombre d'élus. Il a des **compétences législatives et budgétaires** et investit la Commission européenne. Il peut la censurer, et entraîner ainsi la démission de la Commission européenne.

B L'adoption des décisions au sein de l'Union européenne

▶ Le processus décisionnel au sein de l'UE est un mécanisme complexe qui implique l'intervention de plusieurs institutions, dont les principales sont la **Commission européenne**, le **Conseil européen** et le **Parlement européen**.

▶ La plupart des décisions au sein de l'UE sont prises à la **majorité qualifiée** (→ FICHE 32). Pour d'autres décisions concernant la politique étrangère, la défense, la fiscalité directe et indirecte, la sécurité sociale et les questions relatives à l'élargissement de l'Union européenne, les décisions sont prises à l'**unanimité** des pays membres.

CONCLURE

S'il n'y a pas de véritable constitution européenne, il existe plusieurs institutions qui ont à la fois des compétences exécutives et législatives.

QUIZ p. 73

*Quelles sont les principales
dispositions de ce nouveau traité européen ?*

1 Les nouvelles dispositions du traité de Lisbonne

Le traité de Lisbonne, adopté fin 2007 et entré en vigueur fin 2009,
donne un nouveau cadre institutionnel à l'UE.

A Fonctionnement institutionnel et décisionnel

On peut noter six modifications du fonctionnement institutionnel
apportées par le traité de Lisbonne.

▶ Le **président du Conseil européen** est élu pour deux ans et demi
(et non plus tous les six mois). Cependant, la présidence du Conseil
de l'Union européenne change toujours tous les six mois.

▶ Le **Parlement européen**
voit son rôle renforcé dans
les domaines législatif et
budgétaire.

▶ Le rôle des **Parlements
nationaux** dans le cadre
de l'UE est précisé et élargi.

CITATION « Le Conseil
européen élit son président
à la majorité qualifiée pour
une durée de deux ans et
demi, renouvelable une fois. »
Traité de Lisbonne, adopté en 2007

Ceux-ci ont désormais de nouveaux droits, comme le droit à l'information, ou le contrôle du principe de subsidiarité*.

▶ Les délibérations et votes du **Conseil européen** deviennent
publics.

▶ À partir de 2014, les décisions du Conseil seront prises à la **majorité qualifiée** (accord de 55 % des États membres réunissant au
moins 65 % de la population de l'UE).

▶ Les compétences respectives de l'UE et des États membres sont
clarifiées (→ FICHES **31** ET **34**).

B Représentation de l'UE à l'extérieur

▶ L'UE est dorénavant **représentée à l'extérieur** par un haut représentant pour les Affaires étrangères et la Politique de sécurité.

▶ Dotée d'une personnalité juridique, l'UE doit renforcer son **pouvoir de négociation** vis-à-vis des pays tiers et des organisations internationales (Organisation mondiale du commerce, par exemple).

C Droits des citoyens

▶ Un **droit d'initiative citoyenne** permet de saisir la Commission européenne dans ses domaines de compétences si un million de citoyens le souhaitent.

▶ La **Charte des droits fondamentaux** acquiert un statut juridique contraignant (à l'exception du Royaume-Uni et de la Pologne).

2 *Le traité de Lisbonne en débat*

A Les arguments favorables au traité de Lisbonne

▶ En abandonnant la formule emblématique selon laquelle l'UE doit promouvoir « une concurrence libre et non faussée », et en indiquant que « la concurrence est un moyen et non un objectif », le traité de Lisbonne semble prendre acte de certaines **critiques sur le caractère trop libéral de la Constitution européenne** proposée en 2004. Sous la pression du Royaume-Uni, l'idée d'une concurrence non faussée reste cependant présente dans l'article 3.

▶ Le nouveau système de prise de décision et le renforcement du rôle du Parlement européen et des Parlements nationaux sont de nature à **démocratiser** et à **rendre plus efficace** le fonctionnement de l'UE.

B Des critiques toujours vives

▶ Le **mode de ratification** du traité, uniquement par voie parlementaire (à l'exception de l'Irlande qui a procédé par référendum), a été contesté et renforce le sentiment que le fonctionnement de l'UE est peu démocratique.

▶ Certains considèrent que le traité de Lisbonne ne marque **pas d'inflexion majeure** dans le mode d'organisation de l'UE et dans ses objectifs. On dénonce alors une **Europe très technocratique**, au mode de fonctionnement encore inadapté aux enjeux de son élargissement, et essentiellement portée par des considérations économiques.

CONCLURE

Le traité de Lisbonne marque une nouvelle étape dans le processus de construction de l'UE. Mais l'organisation et les objectifs de l'UE font toujours l'objet de débats.

(→ DÉPLIANT, X À XII)

? QUIZ p. 73

L'UE modifie l'action des pouvoirs publics dans le domaine de la politique économique conjoncturelle comme dans celui de la politique de la concurrence. Quels sont les rouages de cette intervention européenne ?

1 *L'UE et la politique économique conjoncturelle*

La politique économique conjoncturelle représente l'action des pouvoirs publics pour **maintenir, à court terme, une croissance équilibrée** alliant croissance, plein-emploi, stabilité des prix et équilibre des échanges extérieurs. Pour mener cette politique, les pouvoirs publics disposent de deux instruments majeurs : la politique monétaire et la politique budgétaire.

A La politique monétaire

▶ Dans l'UE, la politique monétaire est menée par la **Banque centrale européenne** (BCE) depuis le passage à l'euro. Celle-ci est la banque centrale unique des 19 pays ayant adhéré à l'euro. Son **indépendance** par rapport au pouvoir politique est garantie par ses statuts, et elle a comme mission exclusive la **stabilité des prix** et la **lutte contre l'inflation**, celle-ci devant être inférieure à 2 %.

▶ La politique monétaire est mise en œuvre par les banques centrales des pays comme la Banque de France, avec comme principal instrument les **taux d'intérêt directeurs** fixés par la BCE. Ceux-ci augmentent lorsque la hausse des prix risque d'être supérieure à 2 %.

▶ En adoptant l'euro et en laissant la BCE conduire la politique monétaire, les pays adhérents à l'euro ont abandonné leur **souveraineté monétaire**.

B La politique budgétaire

▶ La politique budgétaire continue à être menée par chaque pays mais avec une **autonomie limitée**. En effet, le **Pacte de stabilité et de croissance** (PSC) institué par le traité d'Amsterdam en 1997 limite le déficit public à 3 % du PIB et l'endettement public à 60 % du PIB.

▶ Dans le cadre du PSC, les États membres de la zone euro doivent transmettre au **Conseil des ministres** ainsi qu'à la Commission européenne des programmes de stabilité, actualisés chaque année. La Commission européenne peut **émettre des avis** en cas de dépassement des critères du PSC, et même entamer une procédure pour déficit excessif pouvant aboutir à des **sanctions pécuniaires** décidées par le Conseil des ministres.

2 L'UE et la politique de la concurrence

A Les entreprises et la concurrence

▶ L'UE est d'abord un marché intérieur au sein duquel la concurrence doit être libre et non faussée. C'est la **Commission européenne** qui est responsable de la politique de la concurrence qui s'impose à tous les pays membres, l'objectif étant de favoriser les consommateurs et de rendre les entreprises plus compétitives.

▶ La politique de la concurrence interdit les ententes entre entreprises ainsi que les abus de position dominante. Pour éviter ces dernières, la Commission doit donner son **autorisation pour des opérations de concentration** impliquant des entreprises européennes. De plus, elle contrôle les aides ou les **subventions** que versent les États membres aux entreprises, susceptibles de fausser la concurrence.

B Les services publics et la concurrence

▶ Il n'existe pas de services publics à proprement parler dans l'Union européenne. La Commission européenne définit les **services d'intérêt général** qui peuvent être assurés par des entreprises privées ou publiques comme l'eau ou les transports. Le **service universel** est un service de base offert à tous à des tarifs abordables, comme les services postaux.

▶ La Commission européenne incite à **libéraliser les services publics**. Elle demande aux pays membres d'ouvrir à la concurrence les secteurs qui relevaient jusqu'alors des services publics marchands.

CONCLURE

L'UE réduit la souveraineté économique des États en ce qui concerne la politique monétaire et les services publics. Cependant, les 28 États membres conservent, dans de nombreux domaines, une véritable autonomie.

Les démocraties se sont construites dans le cadre national et sur le principe de la souveraineté populaire. La construction européenne remet-elle en cause la souveraineté des peuples des États membres ?

1 Démocratie et souveraineté nationale

A De la souveraineté populaire...

▶ On peut définir la souveraineté comme une **autorité suprême** : celui qui détient cette souveraineté n'a pas d'autorité au-dessus de lui. La souveraineté, au sens strict, a comme fonction essentielle de **faire des lois**.

▶ À partir du XVIIIᵉ siècle, l'**origine de la souveraineté** est remise en cause. Jean-Jacques Rousseau, dans *Le Contrat social* (1762), développe la théorie de la souveraineté populaire. Pour le

> CITATION
> « Renoncer à sa liberté, c'est renoncer à sa qualité d'homme, aux droits de l'humanité, même à ses devoirs. »
> J.-J. Rousseau, 1762

philosophe, le titulaire de la souveraineté doit être l'**ensemble des citoyens** qui votent, et le peuple doit exercer son pouvoir dans le cadre d'une **démocratie directe**, ou **semi-directe** avec le référendum.

B ... à la souveraineté nationale

▶ La souveraineté nationale se distingue de la souveraineté populaire. Le peuple est représenté par la **nation**, qui est une notion abstraite distincte des individus concrets qui la composent. Ceux-ci ont conscience d'appartenir à **un même groupe**.

▶ Dans un régime démocratique, la souveraineté nationale est exercée par des **représentants élus** qui sont indépendants des électeurs. Ils n'ont pas de mandat impératif puisqu'ils ne représentent pas leurs électeurs mais la nation.

2 Union européenne et souveraineté nationale

A Union européenne et supranationalité

▶ Un pouvoir supranational est un pouvoir qui s'impose aux gouvernements, ceux-ci ayant **transféré certains de leurs pouvoirs et certaines de leurs compétences**. Si l'UE est une association volontaire de pays européens, deux conceptions s'opposent sur la nature de cette association.

• La première repose sur la **coopération** entre les pays membres de l'Union, chacun d'entre eux conservant sa souveraineté nationale.

• La seconde est celle de l'abandon de cette souveraineté pour une souveraineté supranationale, c'est l'**intégration**.

▶ Dans les années 1950, il est décidé de mettre en place une communauté économique ayant pour objectif d'aboutir à une véritable **intégration politique**, les « États-Unis d'Europe ».

B La répartition des pouvoirs entre l'Union et les États

▶ Dans la répartition des compétences entre l'UE et les États, on distingue trois types de compétences :

Compétences exclusives de l'UE	Compétences partagées	Compétences exclusives des États
politique monétaire	aménagement du territoire	sécurité intérieure
accords commerciaux	politique économique	fiscalité
aides publiques	politique sociale	• justice • affaires étrangères

▶ La répartition des compétences se fait selon le **principe de subsidiarité*** défini par le traité de Maastricht. Il reconnaît qu'une compétence doit être transférée au niveau le plus efficace et le plus proche des citoyens (régional, étatique, européen). Ainsi, l'UE ne peut exercer une compétence que si elle est plus efficace que les États membres. Il introduit également le **principe de gouvernance multi-niveaux***.

CONCLURE

L'UE définit des compétences supranationales et réduit ainsi la souveraineté nationale. Cependant, le principe de subsidiarité limite cette remise en cause.

Cochez la ou les bonnes réponses.

1 *Les différents pouvoirs dans l'Union européenne*

	Vrai	Faux
1. La Constitution européenne définit les différents pouvoirs dans l'Union européenne.	☐	☐
2. Le Conseil européen n'a qu'un pouvoir exécutif.	☐	☐
3. Pour intégrer un nouveau pays dans l'Union européenne, il faut une majorité qualifiée.	☐	☐

2 *Les nouvelles dispositions du traité de Lisbonne*

Depuis le traité de Lisbonne :
☐ **a.** le président du Conseil européen est élu pour deux ans
☐ **b.** les décisions du Conseil européen sont prises à la majorité qualifiée

3 *L'Union européenne et la politique conjoncturelle*

Dans la zone euro :
☐ **a.** la politique monétaire est menée par la Banque centrale européenne
☐ **b.** les banques centrales nationales ont disparu

4 *L'Union européenne et la politique de la concurrence*

Dans l'Union européenne :
☐ **a.** le Conseil européen est responsable de la politique de la concurrence
☐ **b.** le Parlement européen autorise les opérations de concentration
☐ **c.** la Commission européenne doit donner son autorisation pour des opérations de concentration impliquant des entreprises européennes

5 *La répartition des compétences entre l'Union européenne et les États*

	Vrai	Faux
1. Les aides publiques sont une compétence partagée entre l'Union européenne et les États.	☐	☐
2. La compétence budgétaire est une compétence exclusive de l'Union européenne.	☐	☐

1 Les différents pouvoirs dans l'Union européenne

`Fiche 31`

1. Faux. Il n'y a pas de constitution européenne.

2. Faux. Le Conseil européen n'a qu'un pouvoir législatif.

3. Faux. Tous les pays membres doivent approuver l'entrée d'un nouveau pays.

2 Les nouvelles dispositions du traité de Lisbonne

`Fiche 32`

Réponse b.

La durée du mandat du président du Conseil européen est de deux ans et demi. Au sein du Conseil, les décisions sont prises si elles sont approuvées par au moins 55 % des États membres représentant 65 % de la population de l'Union européenne : c'est la majorité qualifiée.

3 L'Union européenne et la politique conjoncturelle

`Fiche 33`

Réponse a.

La Banque centrale européenne fixe les taux directeurs qui s'appliquent à tous les pays de la zone euro afin d'avoir un taux d'inflation inférieur à 2 %. Ces mesures sont mises en œuvre par les banques centrales nationales.

4 L'Union européenne et la politique de la concurrence

`Fiche 33`

Réponse c.

La Commission européenne est responsable de la politique de la concurrence.

5 La répartition des compétences entre l'Union européenne et les États

`Fiche 34`

1. Faux. C'est une compétence exclusive de l'Union européenne.
2. Faux. La politique budgétaire reste une compétence nationale mais dans un cadre défini par les traités européens.

Calculer
et interpréter des pourcentages

Comment utiliser les pourcentages de répartition et de variation ? Comment les calculer et les interpréter ?

1 *Proportion et pourcentages de répartition*

A Définition et mode de calcul

▶ Une proportion exprime le **poids d'une valeur par rapport à une autre** ou d'un sous-ensemble dans un ensemble. Elle se calcule en effectuant le rapport suivant :

proportion = sous-ensemble / ensemble

Par exemple, dans une classe de terminale ES comprenant 30 élèves dont 10 garçons et 20 filles, la proportion de filles dans la classe est 20/30 soit 2/3. On peut donc dire que dans cette classe, 2 élèves sur 3 sont des filles.

▶ Un pourcentage de répartition exprime le **rapport d'un sous-ensemble / ensemble**. C'est une proportion en pourcentage. Il s'obtient en **multipliant par 100 une proportion**.

B Précautions d'utilisation

	Série ES		Série S	
	Nombre	%	Nombre	%
Filles	20	66,7	25	41,7
Garçons	10	33,3	35	58,3
Total	30	100	60	100

▶ Ne pas confondre **valeur relative** et **valeur absolue** : bien que le pourcentage de filles soit plus élevé en série ES (66,7 %) qu'en série S (41,7 %), on ne peut pas dire que le nombre de filles en série ES (20) est plus élevé que leur nombre en série S (25).

▶ La différence entre deux pourcentages de répartition s'exprime en **points de pourcentage**.

2 *Coefficient multiplicateur et pourcentage (ou taux) de variation*

A Définition et mode de calcul

▶ Le coefficient multiplicateur se calcule en effectuant le **rapport entre la valeur d'arrivée d'une variable et sa valeur de départ.**
Par exemple, si la moyenne d'un élève passe de 10 au 1er trimestre à 15 au 2e trimestre, le coefficient multiplicateur est de 1,5 (15 / 10).

▶ Un taux de variation exprime l'**évolution relative d'une variable dans le temps.** On le calcule de la façon suivante :
$[(\text{valeur d'arrivée} - \text{valeur de départ}) / \text{valeur de départ}] \times 100.$

B Précautions d'utilisation

▶ **Ne pas additionner les taux de variation successifs** d'une variable.
Par exemple, si votre argent de poche (de 50 euros) augmente de 10 % durant une première période puis de 10 % au cours d'une seconde période, son augmentation totale n'est pas de 20 %.
• Argent de poche à la fin de la première période :
$50 \times 1,1 = 55$ euros
• Argent de poche à la fin de la seconde période :
$55 \times 1,1 = 60,50$ euros
Votre argent de poche a donc augmenté de :
$[(60,5 - 50) / 50] \times 100 = 21$, soit 21 %.

▶ Baisse et augmentation ne sont **pas symétriques** : une baisse de 5 % de votre argent de poche durant une première période puis une hausse de 5 % au cours d'une seconde période ne s'annulent pas.
• Argent de poche à la fin de la première période :
$50 \times 0,95 = 47,50$ euros
• Argent de poche à la fin de la seconde période :
$47,5 \times 1,05 = 49,87$ euros
Votre argent de poche a donc en réalité diminué :
$[(49,875 - 50) / 50] \times 100 = -0,25$, soit 25 %.

CONCLURE

Les pourcentages sont des valeurs relatives qui permettent de mieux évaluer les phénomènes sociaux et politiques.

Savo

Sujet type bac 37

Quels sont les effets de la construction européenne sur l'action des pouvoirs publics ?

DOC. 1

La création de l'euro entraîne une modification profonde des conditions d'exercice des politiques économiques. La politique monétaire est radicalement transformée. La Banque centrale européenne (BCE), indépendante vis-à-vis du pouvoir politique, est responsable de la création d'euros et de la politique de change. La politique budgétaire est le seul instrument national de stabilisation macroéconomique, mais elle est soumise à de fortes contraintes. Les objectifs macroéconomiques retenus par le traité de Maastricht (« critères de convergence ») concernant le déficit public ont été, en effet, reconduits par le pacte de stabilité et de croissance de 1997 [...].

> Jérôme Buridant *et alii, Histoire des faits économiques*,
> coll. « Introduction à l'économie », éditions Bréal, 2007.

DOC. 2 Indicateurs économiques de l'Union (en %)

	Solde public / PIB		Dette publique / PIB		Taux d'inflation		Taux de chômage	
	2000	2016	2000	2016	2000	2016	2000	2016
Allemagne	1,3	0,8	60,2	68,3	2,3	1,9	7,9	3,9
France	−1,3	−3,4	58,0	96,0	1,7	1,6	10,0	9,6
Italie	−0,3	−2,4	110,2	132,6	2,8	1,0	10,8	12,0

Source : Eurostat.

> CORRIGÉ

INTRODUCTION Le traité de Maastricht, en 1992, crée formellement l'Union européenne (UE). Celle-ci est le résultat d'un long processus reposant sur l'association volontaire d'États européens. La mise en place d'institutions politiques (Commission européenne, Conseil européen) et surtout économiques a transformé les conditions de l'action des pouvoirs publics qui était, jusqu'alors, mise en œuvre au niveau national.

❶ Le processus de construction européenne remet en cause la souveraineté nationale des pays membres...

Les différents traités signés entre des pays de plus en plus nombreux définissent des compétences qui relèvent exclusivement de l'UE.

▶ Ainsi, la **politique monétaire**, depuis la création de l'euro, est du ressort de la Banque centrale européenne (BCE), indépendante des pouvoirs politiques nationaux (DOC. 1). Les taux d'intérêt fixés par la BCE s'imposent à tous les pays adhérents, quelle que soit leur conjoncture économique.

▶ De même, la Commission européenne contrôle les aides versées aux entreprises par les pouvoirs publics dans le cadre de la **politique de la concurrence**.

❷ ... mais les États conservent des prérogatives

Malgré tout, les États conservent des compétences importantes dans l'UE, bien que certaines soient partagées, comme l'aménagement du territoire et la politique sociale.

▶ En **matière budgétaire**, les États européens conservent un budget autonome qu'ils peuvent utiliser librement à condition de ne pas dépasser les limites définies par le Pacte de stabilité et de croissance. Toutefois, selon les circonstances conjoncturelles, les États peuvent être amenés à ne pas suivre ces contraintes. Ainsi, la France, en 2016, a un déficit public équivalent à 3,4 % du PIB et une dette publique égale à 96 % du PIB (DOC. 2).

▶ Les États conservent des compétences politiques importantes dans les **domaines régaliens** : sécurité intérieure, justice, affaires étrangères. De plus, ils ont une large autonomie en matière de **fiscalité**.

CONCLUSION Même si les compétences exclusives à l'UE s'accroissent, l'UE ne met pas fin à la souveraineté nationale car les États conservent leur autonomie dans des domaines essentiels.

Suj•
type

Les sites pour approfondir

Certains sites Internet offrent des informations et des analyses sur la plupart des sujets de sciences sociales et politiques ; d'autres abordent des points plus précis du programme. En voici quelques exemples.

QUELQUES SITES GÉNÉRALISTES

▶ **www.vie-publique.fr**

Site essentiel qui permet de connaître les institutions politiques françaises ainsi que les institutions européennes. On peut utiliser ce site pour compléter ses connaissances sur les principes de la séparation des pouvoirs (→ FICHES 3 ET 4). Il permet également d'approfondir l'étude des modes de scrutin (→ FICHE 7), des partis politiques (→ FICHE 10) et du militantisme politique (→ FICHE 21).

▶ **www.assemblee-nationale.fr**

Site officiel de l'Assemblée nationale. Il permet d'approfondir ses connaissances sur les institutions françaises (→ FICHES 3 ET 4). On y trouve également une présentation des différents modes de scrutin et débats quant à leur pertinence (→ FICHE 7), ainsi que des fiches sur le financement de la vie politique, notamment des campagnes électorales (→ FICHE 11). Ce site peut être complété par celui du Sénat, www.senat.fr.

▶ **www.revue-pouvoirs.fr**

Site de la revue *Pouvoirs*, spécialisée dans le domaine des institutions et des sciences politiques, et dont chaque numéro est consacré à un thème. Le site permet d'accéder à des numéros sur ces thèmes, notamment la séparation des pouvoirs (→ FICHE 3), la Ve République (→ FICHE 4), les contre-pouvoirs (→ FICHE 12), la socialisation politique (→ FICHE 16), etc.

▶ **www.cevipof.com**

Site du Centre de recherches politiques de Sciences Po. Il founit des analyses aussi bien sur les institutions que sur les comportements et attitudes politiques. Ce site permet ainsi de compléter les connaissances acquises (→ FICHES 16 à 18). On trouve aussi des études sur les rapports des Français à la politique – étudiés à l'aide d'un baromètre politique (→ FICHE 17) ; on peut citer celle d'Anne Muxel sur la participation politique (→ FICHE 20).

QUELQUES SITES SPÉCIALISÉS

▶ www.laviedesidees.fr

Site qui offre des dossiers sur différents thèmes de la vie politique, notamment la représentation politique (→ FICHE 6). On peut y télécharger des documents sur des questions précises comme l'évolution de la démocratie délibérative (→ FICHE 8).

▶ www.scienceshumaines.com

Site de la revue *Sciences Humaines*. Il permet d'accéder à des archives, en particulier sur le thème du clivage gauche-droite (→ FICHE 18) et sur les nouvelles formes de la protestation politique (→ FICHE 22).

▶ www.conseil-constitutionnel.fr

Site officiel du Conseil constitutionnel. On y trouve le texte de la Constitution de la Vᵉ République, ainsi que des analyses sur le comportement électoral et la citoyenneté (→ FICHES 24 ET 25).

▶ http://media-et-politique.e-monsite.com

On trouve sur ce site des analyses du rôle des médias dans la vie politique et ses dangers (→ FICHES 12 ET 26).

▶ www.commission-des-sondages.fr

Site officiel de la Commission des sondages. On y trouve le texte de la loi de 1977 qui réglemente l'utilisation des sondages en France (→ FICHE 27).

▶ www.europa.eu

Site officiel de l'Union européenne. On y trouve toutes les informations et explications sur les institutions européennes (→ FICHE 31). Ce site peut être complété par www.touteleurope.eu, qui se présente comme un centre d'information sur l'Europe (→ FICHES 31 à 34). De son côté, le site de la fondation Robert Schuman, www.robert-schuman.eu, présente une analyse approfondie du traité de Lisbonne (→ FICHE 32).

Achevé d'imprimer en France par Loire Offset Titoulet
N° imprimeur : 2018102074
Dépôt légal : n° 04442-5/02 - Octobre 2018